MW00697904

Crianza de caballos

La guía definitiva para la cría, el entrenamiento y el cuidado de los caballos

© Copyright 2021

Todos los derechos reservados. Ninguna parte de este libro puede ser reproducida de ninguna forma sin el permiso escrito del autor. Los revisores pueden citar breves pasajes en las reseñas.

Descargo de responsabilidad: Ninguna parte de esta publicación puede ser reproducida o transmitida de ninguna forma o por ningún medio, mecánico o electrónico, incluyendo fotocopias o grabaciones, o por ningún sistema de almacenamiento y recuperación de información, o transmitida por correo electrónico sin permiso escrito del editor.

Si bien se ha hecho todo lo posible por verificar la información proporcionada en esta publicación, ni el autor ni el editor asumen responsabilidad alguna por los errores, omisiones o interpretaciones contrarias al tema aquí tratado.

Este libro es solo para fines de entretenimiento. Las opiniones expresadas son únicamente las del autor y no deben tomarse como instrucciones u órdenes de expertos. El lector es responsable de sus propias acciones.

La adhesión a todas las leyes y regulaciones aplicables, incluyendo las leyes internacionales, federales, estatales y locales que rigen la concesión de licencias profesionales, las prácticas comerciales, la publicidad y todos los demás aspectos de la realización de negocios en los EE. UU., Canadá, Reino Unido o cualquier otra jurisdicción es responsabilidad exclusiva del comprador o del lector.

Ni el autor ni el editor asumen responsabilidad alguna en nombre del comprador o lector de estos materiales. Cualquier desaire percibido de cualquier individuo u organización es puramente involuntario.

Índice

Introducción

El caballo es una de las criaturas más versátiles y hermosas del reino animal. Ha sido un fiel compañero del hombre durante siglos y seguramente seguirá siéndolo. Este majestuoso animal sirve para tantos propósitos importantes, y hoy en día, no es raro encontrar personas que los crían.

Si usted tiene el más mínimo interés en criar uno, este libro es definitivamente para usted. Todo lo que necesita saber sobre los caballos, entrenarlos, entender su comportamiento, cuidarlos y crear una relación de por vida con ellos está escrito aquí.

Cualquiera que sea la razón por la que usted quiera ser propietario de un caballo, encontrará que esta guía es el libro perfecto para ayudarle en su viaje.

¡Cójalo, léalo y compártalo con otros amigos de los caballos!

Capítulo uno: ¿Por qué criar caballos?

La relación entre los caballos y los hombres comenzó hace más de 3.000 años. Sorprendente, ¿verdad? La domesticación de los caballos data del 3.500 a. C. Los caballos han sido criaturas tan versátiles que criarlos proporciona muchos beneficios –la compañía es uno de ellos. Es interesante notar que el caballo no siempre ha sido el animal robusto, grande y con pezuñas que se ve y conoce hoy en día. Hace 50 millones de años, era un pequeño mamífero de múltiples dedos, no más grande que un cachorro de tamaño medio. Desde su evolución, los humanos han reconocido y aprovechado el gran poder y fuerza que posee el caballo, utilizándolo para varios propósitos.

Razones para criar caballos

El montar a caballo es uno de los usos más antiguos de los caballos desde su domesticación. Los caballos también se usaban para tirar de las ruedas de los carros, carretas y carretones en la época medieval. Los caballos eran un medio de transporte y comunicación predominante en la antigüedad. También se usó comúnmente en la guerra y tuvo una creciente relevancia en la sociedad al convertirse en un estándar de riqueza.

En el pasado, el movimiento a pie era el único medio de transporte de recursos y de comunicación con otras personas. Por lo tanto, puede imaginar lo revolucionario que fue cuando apareció el montar a caballo. Los bienes y lugares, que antes eran inaccesibles o demasiado lentos de transportar, rápidamente se hicieron disponibles, ya que los jinetes pueden moverse más fácilmente y más rápido que las personas a pie.

Avanzando rápidamente hasta el día de hoy, y el montar a caballo sigue siendo muy relevante. Puede que no tengan tanta importancia social como en aquel entonces, ya que eran el único medio de transporte, y oh, tenemos varios vehículos y maquinaria para reemplazarlos. Sin embargo, todavía hay muchos usos para los caballos que la tecnología aún debe reemplazar. Por ejemplo, la policía montada sigue siendo utilizada por varios países del mundo. Aunque su trabajo es a veces ceremonial, a menudo son utilizados por la policía para otras funciones como control de multitudes o patrullaje en lugares inaccesibles para los vehículos de la policía.

Es posible que haya visto a uno o más policías montados en sus cercanías o en un evento. Durante el control de multitudes, los policías montados son más visibles que los que están en el suelo o en los automóviles e informan a la gente de la presencia de la policía. Esto ayuda a disuadir los delitos y ayuda a los agentes a detectar fácilmente a los delincuentes, ya que la altura del caballo permite a la policía ver más lejos.

En el mundo actual, el deporte ecuestre es quizás la aplicación más notable de los caballos. Hay dos estilos principales de montar a caballo: el estilo de montar inglés y el estilo de montar occidental. Se preguntará qué los hace diferentes. Bueno, la historia ayuda a proporcionar una respuesta.

La equitación del Oeste se originó en los ranchos y fue practicada por los vaqueros del centro y suroeste de los Estados Unidos. Los ganaderos usaban caballos para controlar el ganado, y esto requería que el jinete fuera hábil para controlar y maniobrar el caballo mientras cabalgaba a alta velocidad. Se crearon sillas de montar pesadas y especializadas para que los jinetes ayudaran a repartir su peso sobre el caballo y les permitieran cabalgar durante mucho tiempo y atravesar caminos desiguales sin sentirse incómodos.

Las riendas atadas alrededor de su cuello y un poco en la boca del caballo permitían al jinete controlar el caballo con una sola mano. Algunas disciplinas ecuestres que requieren un estilo de conducción occidental incluyen la cuerda, el freno, la conducción por senderos, el corte, los juegos de velocidad, etc.

El estilo de montar inglés, por otra parte, se originó en Inglaterra y tiene su raíz en el entrenamiento militar y de caballería. Al comenzar las competiciones deportivas ecuestres, este estilo de equitación fue transmitido y adoptado con fines deportivos. A lo largo de los años, ha habido cambios en el estilo, pero los principios básicos siguen siendo los mismos.

Dado que el propósito principal del estilo de equitación inglés son las competiciones, las sillas de montar están diseñadas para ayudar a la movilidad tanto del caballo como de su jinete. Son más ligeras y pequeñas que las sillas del oeste. Las riendas están directamente conectadas a la boca del caballo y deben ser sujetadas con ambas manos. Ejemplos de competiciones ecuestres en las que se utiliza este estilo de montar son la doma, el salto de obstáculos, la caza, el polo, los juegos a caballo y muchos más.

Uso de los caballos por sus beneficios terapéuticos

La equitación no solo es divertida, sino que se ha demostrado que es terapéutica. Es una forma de terapia recreativa destinada a mejorar la salud mental, física y emocional del individuo a través de diferentes técnicas de equitación.

Dado que montar a caballo solo se puede hacer en un entorno al aire libre, es inevitable pasar más tiempo al aire libre, respirando el aire fresco de la naturaleza. La sensación de libertad e independencia que acompaña a la equitación en la naturaleza es estimulante y sin igual. Montar a caballo es una forma creativa y útil de tomar un descanso de la típica rutina diaria.

Junto con esto, los caballos son criaturas inteligentes y emocionales capaces de desarrollar un vínculo con sus dueños y cuidadores. Criar, montar y cuidar un caballo le da la oportunidad de formar un vínculo puro y no adulterado con él. Estas gentiles, pero majestuosas, criaturas son fieles y confiables, y pueden convertirse fácilmente en el mejor amigo del hombre.

Beneficios adicionales para la salud asociados a la equitación

Fortalecimiento de los músculos centrales

Montar a caballo constantemente es una forma de ejercicio para los músculos centrales. El pecho, el abdomen y la parte baja de la espalda forman los músculos centrales. Al comprometerlos mientras cabalga, usted está fortaleciendo los músculos que están presentes allí. Esto le ayuda simultáneamente a mantenerse equilibrado sobre el caballo.

Flexibilidad y equilibrio

El equilibrio es una de las primeras habilidades a dominar si quiere montar un caballo correctamente y evitar caídas. Cuanto más acostumbrado esté a montar su caballo, más fácil le resultará equilibrarse sobre una silla de montar o a pelo. Este equilibrio suele ser evidente en la mejora de la postura corporal. El ejercicio continuo del galope ayuda a mejorar la flexibilidad de su cuerpo, incluso cuando no está montando.

Mejora de la coordinación

Los jinetes novatos tendrán dificultades para mover o dirigir el caballo a voluntad debido al alto nivel de coordinación requerido. Necesitará aplicar presión en las piernas, reiniciar la presión y mover el cuerpo –todo al mismo tiempo– cuando monte y dirija su caballo. Cuanto más consistentemente monte, más mejorarán sus habilidades de coordinación. Pronto aprenderá a utilizar simultáneamente partes individuales de su cuerpo para mover su caballo en cualquier dirección, y esto puede aplicarse también a otras actividades.

Mejora la fuerza mental

Montar a caballo es extremadamente beneficioso para su salud mental. Para empezar, es un ejercicio calmante y relajante que despeja la mente y mejora el estado de ánimo. Los caballos son criaturas emocionales con habilidades para aliviar el estrés. Además, interactuar con el caballo requerirá que usted aprenda diferentes claves que le ayuden a dirigir y entender a su caballo. Su nivel de confianza puede mejorar significativamente con solo ganar maestría sobre este enorme y hermoso animal. Además de todo esto, criar un caballo es una gran hazaña y le da una sensación de realización.

Tono muscular y fuerza estable

Mientras se monta a caballo, la parte interna de los muslos y la pelvis están más ocupadas, ya que hay que posicionarse constantemente al ritmo de la cadencia del caballo. Cuidar del caballo en los establos requiere que levante objetos pesados, lo que puede ser inicialmente laboriosos. Sin embargo, al realizar estas actividades, puede aumentar su capacidad cardiovascular y construir lo que se conoce popularmente como *fuerza estable*.

Mejora las habilidades de resolución de problemas

La resolución de problemas es otra habilidad asociada con la crianza de caballos. Esto se debe a que los caballos pueden ser bastante desafiantes e impredecibles a veces, especialmente si se trata de un territorio desconocido. Como jinete, debe aprender a pensar de forma crítica y encontrar soluciones que le permitan protegerse y mantener a su caballo bajo control. Cada problema que pueda resolver con su caballo le ayuda a desarrollar una reserva de habilidades que pueden ser útiles pronto.

Uso de los caballos para el trabajo de la granja

En algunas partes del mundo, los caballos se crían estrictamente para trabajos de granja. Aunque la maquinaria y otras formas de equipamiento se han apoderado de gran parte del trabajo agrícola y relacionado con la agricultura, los caballos siguen siendo el medio de trabajo preferido en ciertos lugares. Una razón común para esto es el tipo de tierra o suelo presente. Algunos terrenos pueden ser fácilmente destruidos por el uso de máquinas o vehículos; para preservar tales reservas naturales se utilizan animales.

Además, en los casos en que el terreno es demasiado escarpado para el paso de vehículos, se emplean caballos u otros animales de granja. Por último, las prácticas agrícolas específicas, como el cultivo y la tala, se llevan a cabo mejor con caballos u otros animales de trabajo para evitar la pérdida de hábitat natural por el uso de combustibles fósiles.

Históricamente, los animales de granja se han utilizado durante siglos. Mucho antes de que se hiciera cualquier avance tecnológico en la agricultura, los animales se usaban para realizar el trabajo de la granja. Debido a la dura labor que se requiere en las tierras de cultivo, se deseaba una raza de caballo específica para esta causa. Mientras que los caballos más ligeros y briosos eran adecuados para montar, los más voluminosos y pacientes eran preferidos por los granjeros para ser usados en ranchos y tierras de cultivo. Estos caballos se llaman *caballos de tiro.* El arado y el transporte de cargas pesadas son algunas de las tareas de un caballo de tiro.

La cría y el cuidado de los caballos de tiro difiere un poco de la cría de un caballo de recreación. Debido a que son animales de trabajo, su principal objetivo será prepararlos para que trabajen de manera eficiente. El herrado y la alimentación son esenciales y costosos porque, a diferencia de los caballos de montar, los caballos de tiro requieren sus herraduras para el trabajo. Los caballos de tiro tienen un metabolismo más lento en comparación con los caballos de montar, pero necesitan una gran cantidad de comida debido a su tamaño voluminoso.

Fertilizante

Aquí hay un hecho fascinante sobre los caballos que probablemente no conocía. El caballo promedio come el 2 por ciento de su peso corporal y excreta alrededor de 50 libras de estiércol húmedo entre 4 y 13 veces al día. Sume todo eso, y en un año, tendrá alrededor de 9,1 toneladas de estiércol. Sin embargo, el producto de desecho de su caballo no necesariamente tiene que ir a la basura.

Las heces del caballo contienen muchos nutrientes beneficiosos para el crecimiento de las plantas. Como propietario de un caballo, no tiene que preocuparse mucho por la compra de fertilizante para su césped. ¡Su caballo es una fuente conveniente de fertilizante! Los caballos son herbívoros, por lo que su estiércol contiene los nutrientes necesarios y la materia orgánica que las plantas requieren para su crecimiento. Es una forma económica de obtener fertilizantes para las plantas, y también puede producir lo suficiente para vender.

El compostaje del estiércol ayuda a mantener los nutrientes y deshacerse de las bacterias o semillas de malas hierbas presentes. Compostar el estiércol simplemente significa dejar que se asiente por un tiempo antes de usarlo, lo que asegura la adecuada descomposición de la materia orgánica presente en él.

El estiércol de caballo está compuesto de nitrógeno, fósforo y potasio, siendo el nitrógeno el que se produce en mayor cantidad. Aunque estos nutrientes son extremadamente beneficiosos para el suelo y la producción de cultivos, si no se gestionan adecuadamente, también pueden tener efectos adversos en el medio ambiente.

Como propietario de un caballo, deberá familiarizarse con las normas estatales que rigen la gestión adecuada del estiércol de caballo para garantizar su uso óptimo y reducir la contaminación. La mejor manera de hacerlo es tener un plan de gestión del estiércol de caballo. Considere el número de caballos que tiene por acre de tierra, la cantidad estimada de estiércol que se produce anualmente y los medios de almacenamiento o eliminación del estiércol.

Caballos para entretenimiento y usos ceremoniales

Los caballos también se utilizan para el entretenimiento, en forma de espectáculos y para retratar acontecimientos históricos o pasados. Se trata de criaturas regias y guapas cuya gracia no tiene parangón con ningún otro animal, con una apariencia majestuosa que los hace muy adecuados para las ceremonias y funciones reales u oficiales.

Un carruaje de caballos y los caballos de montar son especialmente útiles para estas ocasiones. Las bodas, inauguraciones y atracciones turísticas constituyen algunas de las funciones en las que se utilizan los caballos en la sociedad actual. En algunas otras culturas, los caballos suelen ser los principales eventos en los desfiles y festivales. Los circos y los espectáculos teatrales también hacen uso de los caballos en algunas de sus actuaciones. Estos caballos son a menudo entrenados para realizar diversos trucos únicamente para entretenimiento.

Las películas y la literatura ambientada en tiempos históricos o medievales a menudo hacen uso de los caballos mientras tratan de recrear la forma en que la gente vivía en tiempos pasados. Los caballos fueron el medio de transporte más común durante muchos siglos, por lo que su presencia en las películas históricas es fundamental. No es sorprendente que la guerra también haya sido testigo de la singularidad del caballo con respecto a otros animales. Al igual que otras actividades humanas en las que el caballo ha participado, jugó un papel muy importante en los frentes de guerra, transportando tanto mercancías como hombres e incluso participando en la amarga rivalidad y el derramamiento de sangre.

Los caballos como compañeros y mascotas

De los diferentes papeles que los caballos juegan en la vida del hombre, ser un compañero es una de las posiciones más veneradas. Cuando se monta un caballo con frecuencia, con el tiempo, a medida que se acostumbran el uno al otro, hay una gran tendencia a apegarse al caballo y formar un vínculo. A menudo, este vínculo se basa en la confianza. El caballo es un animal inteligente con mente propia, así que para entrenarlo, controlarlo y montarlo, se requiere la confianza mutua de ambas partes.

Junto con esto está la calidad emocional que poseen los caballos. Si usted pasa tiempo acariciando y estando cerca de su caballo, puede mejorar su salud emocional y ser un alivio para el estrés. Los caballos tienen una asombrosa habilidad para reconocer las emociones y empatizar con usted.

Los caballos son animales sociales, por lo que no es raro encontrarlos moviéndose en tropillas, especialmente los caballos salvajes. Si usted está criando un caballo de trabajo solo en un granero o establo, hay una tendencia a que su caballo se sienta solo o aislado. Como propietario de un caballo, puede intentar recrear esta necesidad de una estructura social criando lo que comúnmente se conoce como caballos de compañía. Los caballos de compañía no necesariamente necesitan ser montados, ya que principalmente proporcionan compañía y socorro al caballo de trabajo. El caballo de compañía también sirve como mascota.

Caballos para el ocio y el deporte

Hay muchas actividades de ocio y deportivas en las que los caballos juegan un papel primordial y fundamental. Las actividades ecuestres son bastante comunes hoy en día y sirven como una razón importante para criar caballos. Hay diferentes actividades deportivas ecuestres, cada una con su raza específica de caballos. Algunos de los deportes ecuestres de competición incluyen eventos, carreras de caballos, doma clásica, rodeo, polo, doma vaquera, clavado de tiendas de campaña y muchos más. Estos deportes son muy diferentes y requieren un número variable de habilidades técnicas y especializadas para cada uno, por lo que se utilizan diferentes razas de caballos en los distintos deportes.

Le sorprenderá saber que la mayoría de las razas de caballos de hoy en día surgieron debido a una crianza específica bien ordenada. Para criar un caballo de deporte, hay tantas razas para seleccionar. A medida que lea más en el libro, conocerá más sobre las diferentes razas de caballos.

También hay deportes no competitivos en los que puede entrenar a su caballo para que participe y, si no es un deportista, simplemente montar su caballo en el campo o en un rancho es aventurero y estimulante.

Consideraciones importantes antes de comprar un caballo

La gente cría caballos por una o más de las razones enumeradas anteriormente, pero cualquiera que sea su razón, tendrá que considerar factores importantes antes de comprar un caballo. Un caballo es una gran inversión que probablemente no pueda devolver, por lo que es prudente que sopese cuidadosamente sus opciones antes de hacer una selección.

1. Costo: Cuidar de los caballos es una gran responsabilidad. Antes de comprar un caballo, necesita considerar los costos totales requeridos para criarlo –y no solo el costo inicial de la compra. El caballo promedio tiene una vida útil de unos 20 a 30 años, y por lo tanto usted estará cuidando del caballo por mucho tiempo. La alimentación, el refugio, la atención médica, el equipo de equitación, el cuidado de los cascos, el equipamiento y los suministros, el entrenamiento y las clases de equitación, los gastos de emergencia y muchos más constituyen el costo a largo plazo que necesitará gastar para cuidar y criar un caballo.

2. Compromiso: Como se ha dicho anteriormente, los caballos son una gran responsabilidad, por lo que criar uno requerirá cuidado y atención. Esté preparado para comprometerse a dedicar el tiempo suficiente para cuidar del caballo. Montar, asear, alimentar y entrenar a su caballo es parte de sus deberes como propietario de un caballo, y deben hacerse a menudo. No debe dejar a su caballo sin atención durante más de un día, ya que requieren ejercicio frecuente.

3. Refugio: Dependiendo del número de caballos que planee comprar (y su propósito), necesitará proporcionarle un refugio adecuado. Alojar a su caballo en su propia tierra le da la ventaja de un fácil acceso a la alimentación y al aseo diario, pero el mantenimiento diario del cuidado del caballo es una tarea desalentadora que viene con esta elección. Los establos locales ofrecen facilidades de alojamiento a los propietarios de caballos que ayudan en el cuidado de los mismos y ofrecen otras comodidades. También existe la ventaja añadida de conocer a otros propietarios de caballos en el establo. Considere cuál es la mejor opción para usted antes de comprar el caballo.

4. El caballo: Los caballos vienen en varias razas, tamaños, edades, pedigrí y niveles de entrenamiento, y cada característica debe ser considerada antes de hacer su compra. El propósito de usar su caballo le ayudará a reducir sus opciones. Para montar a caballo, necesitará ser más específico, ya que hay varios estilos de montar adecuados para diferentes razas. Preferiblemente, compre un caballo que tenga un nivel de entrenamiento significativo, a menos que planee hacerlo usted mismo. Los caballos tienen diferentes personalidades, así que seleccione un caballo que se adapte a su preferencia temperamental.

Una vez que pueda seleccionar el caballo más adecuado a su gusto, lo siguiente que debe hacer es asegurarse de que un veterinario certificado realice un examen de salud completo y exhaustivo. El veterinario debe estar bien familiarizado con la raza específica y el propósito designado. Este examen es muy importante, ya que se le proporcionará un conocimiento profundo de la historia médica del caballo. Esta información le ayudará a tomar su decisión final.

Criar un caballo es una tarea gratificante y a la vez desafiante. Como propietario de un caballo, usted tiene la responsabilidad de asegurarse de que lo cuida adecuadamente. Los caballos pueden ser enormes y obstinados a veces, pero aun así necesitan un dueño seguro, cariñoso, pero firme, que los dirija y los cuide. Este libro está enfocado en hacer de usted ese tipo de dueño.

Capítulo dos: Selección de la raza adecuada

Hay alrededor de 400 razas de caballos conocidas por el hombre, cada una con sus propias singularidades y especializaciones. Las competiciones ecuestres capitalizan estas diferencias y pueden por lo tanto dedicarse a una variedad de actividades deportivas. Como propietario de un caballo, debe conocer las diferencias entre las razas y sus especializaciones. En este capítulo, describiremos algunas de las razas de caballos más populares, sus cualidades y su uso.

Árabe

Con su exclusivo cuello en forma de arco y su alto y elegante porte de cola, se puede identificar fácilmente el caballo Árabe en cualquier lugar. Es originario de Arabia y es una de las razas más antiguas cuyo linaje data de hace más de 4.000 años. Es versátil, tiene una fuerte resistencia y es popularmente conocido por su resistencia en la equitación.

El Árabe tiene una altura de 14 a 16 manos, (56 pulgadas - 64 pulgadas), y un peso corporal ligero de 800 - 100 libras. Los árabes también son conocidos por su temperamento amigable, que los hace rápidos para aprender y fácilmente apegados a los humanos. Se utilizan ampliamente en muchas actividades ecuestres como las carreras de caballos, la doma, el salto, la equitación de resistencia y muchas más. Son ideales para la equitación de ocio y se pueden encontrar en ranchos, cuando no en las competiciones deportivas.

Pura Sangres

¿Ha notado una raza muy popular, rápida y específica usada en varias competencias ecuestres? Es muy probable que sea un feroz y ágil Pura Sangre. Los caballos Pura Sangre vienen de un linaje de sementales ágiles y rápidos como el Árabe y el Turco. Se considera parte de la raza de caballos de "sangre caliente" por su fuerza, agilidad y velocidad. La mayoría de ellos vienen en colores oscuros o grises y tienen un rango de altura de alrededor de 15,2 manos (62 pulgadas) a 17,0 manos (68 pulgadas).

Algunos rasgos fácilmente reconocibles del Pura Sangre incluyen una cabeza bien cincelada, cuello largo, pecho profundo, espalda corta, cuerpo delgado y piernas largas. El Pura Sangre es un caballo muy brioso y atlético, lo que lo hace perfecto para varias competencias de deportes ecuestres. También se utiliza comúnmente para criar caballos para otros deportes ecuestres como el polo, la doma, el salto y otros.

Appaloosa

Más conocido por su cuerpo manchado y de colores brillantes, el Appaloosa es una raza muy popular en América del Norte con una herencia única. Originalmente domesticada por los nativos de Nez-Perce, fue usada en la caza y como animal de guerra. Sus manchas distintivas y su color son el resultado de diferentes cruces de razas a lo largo de los siglos. El color desigual de la piel, las pezuñas rayadas y la esclerótica blanca visible en los ojos son rasgos que identifican a un Appaloosa.

Hay varios tipos de cuerpo atribuidos a una raza Appaloosa debido a las diferentes otras razas que componen su linaje. Aun así, el tamaño promedio es usualmente entre 950 - 1250 libras y 14 manos (56 pulgadas) a 15 manos (60 pulgadas) de altura. Se usa comúnmente como caballo para controlar el ganado en el rancho, y también aparece en varias competiciones de equitación del oeste. La equitación de ocio, la equitación de senderos y la distancia media son algunos otros usos para los que este versátil e inteligente caballo es excelente.

Morgan

El caballo Morgan es un caballo fino y peculiar con un porte real que lo hace adecuado para varias funciones ceremoniales y como caballo de carruaje. Fue nombrado en honor a su primer propietario, Justin Morgan, y ha sido utilizado para la cría de otros caballos. Se puede reconocer un caballo de Morgan por su andar seguro, su estructura refinada y musculosa, sus fuertes cuartos traseros y su porte de cola alta. Las razas Morgan son muy fuertes y tienen una altura estándar de 14,1 manos (57 pulgadas) a 15,2 manos (62 pulgadas). El Morgan se usa comúnmente para los deportes de equitación ingleses y occidentales, para la equitación de ocio y también en las competiciones de deportes ecuestres. Es conocido por su personalidad distintiva, su disposición tranquila, su inteligencia y su audacia.

Caballo Cuarto de Milla Americano

El caballo cuarto de milla es una de las razas de caballo más populares de América. Fue criado a partir del caballo de Pura Sangre y es muy versátil. Se le puede reconocer en los rodeos o en las carreras de caballos por su habilidad para moverse rápidamente en distancias cortas. Tiene una cabeza corta, pero refinada, una estructura corporal robusta y cuartos traseros redondeados. La altura de un típico caballo de cuarto de milla varía entre 14 manos (56 pulgadas) y 16 manos (64 pulgadas). Es más conocido en el campo de deportes como un velocista, superando a otras razas en carreras de un cuarto de milla de distancia o menos. También se utiliza comúnmente como caballo de rancho, y su cuerpo pequeño lo hace muy adecuado para actividades técnicas y de habilidad como las carreras de barriles, la cuerda de terneros y otras competiciones de equitación del oeste.

Standardbred

Un caballo Standardbred es una versátil raza de caballo norteamericana cuya destreza es evidente en la equitación y en otras disciplinas ecuestres. Al igual que otras razas de caballos, proviene de un linaje de otras razas de sementales, en particular el Pura Sangre y Morgan, entre otros. Es ágil, veloz y tiene una complexión musculosa y fuerte, ligeramente más pesada que la del Pura Sangre.

Los sementales tienen una altura promedio de 14 manos (56 pulgadas) a 17 manos (68 pulgadas) y pesan entre 800 y 1000 libras. Los encontrará fácilmente en las competiciones de carreras de arneses, ya que son la raza de caballo de trote más rápida conocida por el hombre. Otros usos de los Standardbred incluyen paseos de ocio, espectáculos ecuestres, caballos de rancho y, lo más importante, se utilizan para la cría de otros caballos.

Percherón

El Percherón es un caballo francés que pertenece a una raza popular de caballos conocidos como razas de tiro. Son peculiares por su constitución robusta y resistente. Han servido como caballos de guerra, diligencias y animales de granja debido a su gran fuerza y volumen muscular. Se puede distinguir fácilmente un caballo Percherón por sus voluminosas y musculosas patas, su amplio pecho, su enorme tamaño y su dócil personalidad. Comúnmente se les llama "de sangre fría" por su disposición tranquila.

La altura y el peso del Percherón difieren en varios países, y son ampliamente utilizados como caballos de trabajo. Se utilizan en desfiles, con fines agrícolas, para arrastrar cargas pesadas y se cruzan con otros caballos más ligeros para mejorar la resistencia y producir caballos de tamaño mediano para otros fines.

Poni Galés

La mayoría de la gente sabe lo que es un poni, al menos por su descripción. Los ponis son caballos en miniatura. Son una clase de razas de caballo con una altura que no supera las 14.2 manos (58 pulgadas) en su madurez. Por lo tanto, son más bajos que el caballo promedio y preferiblemente la mejor opción para los niños y jinetes de baja estatura. Tienen su origen en Gales, con los caballos de pura sangre y árabes como parte de su linaje.

Existen cuatro tipos que se distinguen por su altura, siendo el más bajo de unos 11 brazos (44 pulgadas) y el más alto de 16 brazos (64 pulgadas). Sus movimientos de andar fuertes y fáciles los caracterizan a menudo. Los ponis galeses son animales muy inteligentes con gran velocidad y resistencia. Se utilizan para muchos propósitos, tales como animales de trabajo, para paseos de ocio y en competiciones deportivas ecuestres. Son especialmente buenos en la doma, las carreras de resistencia y la conducción.

Caballo Tennessee Walking

También conocido como el *Tennessee Walker*, esta raza de caballos única pertenece a una clase de razas de caballos comúnmente conocidas como razas con cebo. La raza de gaite es una clase distinta de caballos criados por su habilidad para ir a un ritmo fácil con un ritmo de cuatro tiempos. Su andar a paso ligero los hace ideales para jinetes mayores o para cualquiera que busque un paseo suave.

El Tennessee Walker es un animal elegante y robusto con una altura promedio de 14.3 manos (59 pulgadas) a 17 manos (68 pulgadas) y un peso de alrededor de 900 a 1200 libras. Son más populares por su naturaleza tranquila y su habilidad para correr y caminar. Se utilizan comúnmente en espectáculos ecuestres, eventos de equitación en senderos y para montar a caballo por placer.

Hannoveriano

El caballo Hannoveriano pertenece a la categoría de las razas de caballos de "sangre caliente". Generalmente se desarrollan criando un tipo de "sangre caliente" con un semental de "sangre fría". El Hannoveriano es un caballo especial de sangre caliente originario de Alemania. Fue refinado con sangre de pura sangre para hacerlo más ágil y atlético. El resultado fue un éxito rotundo.

Elegante, fuerte y atlética, la raza Hannoveriana es un caballo versátil, brioso y con un carácter agradable. Fue usado anteriormente en el ejército y como caballo de entrenamiento. Hoy en día, es uno de los caballos de deporte más populares y ampliamente utilizados ya que tiene medallas en todos los deportes olímpicos ecuestres. La altura media de una raza hannoveriana está entre 15,3 manos (63 pulgadas) y 17,2 manos (70 pulgadas). Se utiliza principalmente como un animal deportivo, pero también puede ser montado por placer.

Mustang

Los Mustangs son razas de caballos que se encuentran principalmente en la naturaleza. Son caballos que vagan libremente y fueron traídos originalmente a Norteamérica por los españoles. Puede reconocerlos sin esfuerzo por su corta, pero robusta, estructura, su amplia cabeza y su pequeño hocico. El Mustang típico tiene una altura de unas 14 manos (56 pulgadas) a 15 manos (60 pulgadas). Son más conocidos por su resistencia, fuerza y seguridad. Se utilizan en las competiciones de carreras de caballos, paseos a caballo, paseos de placer, y también como animales de granja.

Caballo American Paint

Una de las primeras cosas que notarán sobre el Caballo American Paint es su rico y colorido pelaje. Cada caballo tiene un color único de blanco y otro color equino. Su linaje se remonta a la raza de caballos pura sangre y cuarto de milla.

Un típico American Paint tiene una altura promedio de 14 a 16 manos (56 a 64 pulgadas) y un peso de alrededor de 950 a 1,200 libras. Algunas de sus otras características distintivas incluyen un cuerpo musculoso, un centro de gravedad bajo que permite maniobrar fácilmente y unos fuertes cuartos traseros para un movimiento rápido. Se utiliza con frecuencia en las competiciones ecuestres del oeste, como el salto y el reinado.

Haflinger

Si ve un grupo de caballos algo bajos, todos castaños, probablemente sean de la raza de caballos Haflinger. Originalmente de Austria, la historia de los Haflinger se remonta a la Edad Media. Son de constitución fuerte, elegantes y tienen una hermosa yegua rubia.

La altura media de los Haflinger es de 13,2 a 15 manos (54 a 60 pulgadas, respectivamente), y existe principalmente en color castaño. Tiene un andar suave y rítmico que le permite proporcionar un paseo enérgico y a la vez relajante.

Es adecuado para las actividades bajo la silla de montar y también puede ser utilizado como un caballo de tiro o de carga. Algunas de las competiciones ecuestres en las que encontrará un Haflinger incluyen salto de obstáculos, doma clásica, resistencia y equitación de senderos. También es adecuado para la equitación terapéutica y de ocio.

Saddlebred Americano

Otro miembro de los caballos de silla, el Saddlebred Americano, es una brillante raza de caballo que se originó en los Estados Unidos. Su linaje se remonta a los caballos de paseo de las Islas Británicas. Tiene la sangre de Morgan y Pura Sangre como parte de su ascendencia. El Saddlebred se caracteriza por el porte real de su estructura muscular y delgada.

Un caballo muy hermoso y vivaz, el típico Saddlebred tiene una altura promedio de 15 a 17 manos (60 a 68 pulgadas, respectivamente). Suave y elegante, se puede distinguir claramente un Saddlebred por su movimiento superior y su suave andar. Se utiliza mejor como caballo de exhibición, pero también aparece en otras competiciones ecuestres como la conducción combinada, la doma y la equitación en silla de montar.

Caballo Hackney

La raza de caballo Hackney tiene sus raíces en Gran Bretaña y se desarrolló para ser un caballo de montar con un trote perfecto. Tiene una fuerte resistencia y una estructura atractiva. Es popularmente usado como caballo de carruaje debido a su movimiento elegante y superior.

La altura de un típico caballo Hackney está entre 14. 2 a 16,2 manos (58 a 64 pulgadas respectivamente), y pesan alrededor de 1000 libras. Su trote de alta velocidad y su elegante apariencia suelen caracterizarlo.

Se puede diferenciar un caballo Hackney de otras razas similares por sus rasgos bien definidos, orejas atentas, ojos y un porte de cola naturalmente alto. Se utiliza principalmente como caballo de carruaje y en los deportes de competición, se puede encontrar en carreras de arneses y eventos de conducción. Sus poderosos cuartos traseros ayudan a proporcionar una zancada cómoda y rítmica que permite el placer y la conducción terapéutica.

Selección de la raza de caballo adecuada

Los caballos son criaturas emocionales e inteligentes con personalidad y mente propias. Cuando se selecciona un caballo, hay que tener en cuenta sus preferencias junto con el temperamento y la disposición del caballo. El propósito para el que usted quiere criar al caballo, su nivel de habilidad y su experiencia en la equitación deben ser considerados.

Si usted es un principiante que acaba de empezar con los caballos, necesitará un caballo paciente y dispuesto; uno que sea inteligente, que aprenda con facilidad y que tenga un carácter agradable. El Americano de Cuarto de Milla, el Tennessee Walker el Shire y el Morgan entran en esta categoría. Los ponis también son grandes caballos para principiantes, para niños o para menores de 5,5 pies.

Las razas de caballos de sangre fría son tranquilas, accesibles y amigables. A menudo son muy grandes y carecen de la emoción que normalmente se encuentra entre los caballos de deporte. Su gentil disposición los hace ideales para el trabajo en la granja y el trabajo. Ejemplos de razas de sangre fría incluyen el trotador de sangre fría, el Percherón, el caballo de Tiro Belga y el Clydesdale.

Las razas de caballos de sangre caliente son animales versátiles y vivaces. Son una combinación de razas de sangre fría y de sangre caliente, con el carácter amistoso y accesible de los de sangre fría y la fuerza y agilidad de los de sangre caliente. Se pueden entrenar y utilizar para competiciones deportivas con poca dificultad. El Americano Cuarto de Milla, Appaloosa, Tennessee Walker, Mustang y Cleveland Bay son ejemplos de sangre caliente.

Si usted busca caballos energéticos y de ritmo rápido, vaya a las razas de sangre caliente. Se utilizan frecuentemente como caballos de deporte debido al alto nivel de energía y agilidad que poseen. Son difíciles de controlar, muy temperamentales, y son más adecuados para propietarios experimentados. Entre los ejemplos de sangre caliente se incluyen el Árabe, el Pura Sangre y el Morgan. A menudo se utilizan en la cría sistemática para producir otras razas de caballos con características específicas.

Puede consultar el Hannoveriano, el Saddlebred Americano, el Paint Horse, el Árabe y el Morgan, si busca razas de caballo con aplomo y elegancia. Estas razas tienen una estructura musculosa y bien definida, tienen un porte majestuoso y son ideales para la equitación de placer.

Capítulo tres: Llevando el caballo a casa

Habiendo completado la primera etapa de la selección y compra del caballo de sus sueños, es hora de comenzar su papel como propietario de un caballo. Es comprensible que se sienta nervioso y emocionado por el prospecto, así que la mejor manera de tratar con esos nervios es mediante una planificación adecuada. En este capítulo, aprenderá sobre las tareas necesarias para llevar su caballo a casa y qué hacer una vez que llegue. Recuerde que su caballo se está trasladando a un entorno nuevo y desconocido, por lo que debe asegurarse de que se sienta seguro y cómodo.

Qué hacer antes de que su caballo llegue a casa

Antes de que llegue su caballo, prepare una forma de refugio para él. Puede albergar el caballo en su propiedad si tiene suficiente tierra o en un establo local cercano. Si tiene el establo en su propiedad, tendrá que limpiarlo e inspeccionarlo antes de que llegue el caballo. La valla, las paredes del establo y las puertas deben estar en buenas condiciones y libres de cualquier elemento peligroso. El establo no debe estar demasiado apretado o acorralado para no hacer que su caballo se sienta atrapado. Es un nuevo ambiente, y es importante disminuir la ansiedad de su caballo. Haga las reparaciones necesarias y asegúrese de que las vallas sean visibles y de una altura adecuada para el caballo, especialmente si se trata de un recinto al aire libre. Su caballo puede intentar saltar la valla, por lo que debe tomar todas las precauciones. La puerta del establo debe ser lo suficientemente fuerte y resistente para retener al caballo. Si planea alojar a su caballo en un establo local, haga las averiguaciones pertinentes para asegurarse de que su caballo se mantenga seguro y cómodo.

Lista de comprobación del establo listo

✔ Seleccionar refugio apropiado

✔ Limpiar e inspeccionar los estables

✔ Hacer reparaciones necesarias

✔ Comprar el equipo necesario

La frase "*equipo necesario*" varía según su propósito de criar el caballo, pero hay elementos esenciales que todo propietario de un caballo debe tener.

- Cubeta de alimentación y agua.
- Cuerda principal y collar de cabeza.
- Silla, brida y bocado.
- Protector y botas de tendón.
- Kit de aseo para caballos. Esto debe incluir una rasqueta, los cascos, repelente para moscas y raspador de sudor. Puede ponerlos todos en una sola caja por comodidad.
- Botiquín de primeros auxilios. En caso de cualquier lesión o emergencia, esté listo para atender a su caballo antes de que llegue el veterinario. Su botiquín de primeros auxilios debe contener vendas, algodón, pinzas, limpiador de heridas, tijeras, spray antibiótico, termómetro y números de emergencia del veterinario.

Vacunas

Antes de llevar su caballo a casa, asegúrese de que un veterinario certificado lo examine a fondo, preferiblemente uno familiarizado con la raza. Hay diferentes vacunas disponibles para los caballos para ayudarles a mantener una buena salud. Como propietario de un caballo, debe asegurar la protección de su caballo manteniéndolo al día con las vacunas, incluso antes de que llegue a su casa. Los caballos, si no se les cuida bien, pueden enfermar debido a infecciones o enfermedades. Su caballo dependerá de usted para mantenerlo en buena forma.

Actualice la lista de vacunas

- ✔ Averigüe la información necesaria sobre la vacunación de caballos
- ✔ Haga que su caballo sea examinado a fondo
- ✔ Vacune a su caballo

Alimentación

Si su caballo tiene un dueño anterior, será prudente obtener toda la información sobre su nuevo caballo de él/ella. Descubra qué tipo de alimento prefiere su caballo y cuánto heno y alimento consume diariamente. Compre el heno y el alimento para su caballo antes de llevarlo a casa. Si tiene un alimento en particular que quiere que su caballo coma, no lo fuerce. En cambio, introduzca gradualmente el alimento, y con el tiempo, se lo ganará.

El agua es esencial para los caballos de todas las razas. El caballo promedio consume alrededor de siete galones de agua cada día. Por lo tanto, es imperativo que le proporcione acceso a agua fresca y limpia a su caballo. Debido a que su caballo es nuevo en su entorno, tiene tendencia a reaccionar negativamente al beber agua ajena. Una forma de solucionarlo es usando la misma o una cuenca similar con la que su caballo esté familiarizado. Si su establo o cuadra tiene un sistema de agua automatizado, su nuevo caballo podría no estar familiarizado con él, y puede tardar un tiempo en entenderlo. Durante ese período, tendrá que proporcionar agua limpia en un medio que su caballo conozca, como un cuenco o una bañera.

Lista de control de la alimentación

- ✔ Preguntare al anterior propietario de la preferencia de alimentación
- ✔ Comprar suficiente heno y alimento
- ✔ Proporcionar acceso al agua dulce
- ✔ Poner agua fresca en un cuenco familiar para el caballo

Transporte del caballo

Así que ha montado el establo, ha comprado el equipo, ha vacunado a su caballo y ha comprado alimentos esenciales. Ahora, es hora de llevar el caballo a casa. Dependiendo de la distancia entre el lugar donde se encuentre el caballo y su casa, puede transportarlo por tierra o por aire. Cualquiera que sea el medio de transporte que utilice, trate de tomar la ruta más corta posible para que el viaje sea menos extenuante. La mejor manera de transportar su caballo por tierra es usando un remolque para caballos. Siempre puede alquilar uno si no tiene uno propio. Emplear los servicios de una empresa profesional de transporte de caballos ayudará a reducir el estrés de su caballo durante el viaje.

Revise el remolque antes del día de viaje para asegurarse de que esté en buenas condiciones y sea cómodo para su caballo. El tamaño del remolque debe ser lo suficientemente grande para que su caballo baje la cabeza, y el suelo debe ser antideslizante. Detenga el vehículo a intervalos para que el caballo se alimente y descanse si es una distancia larga. Por seguridad y para ayudarle a cargar el caballo, utilice una rienda o un cabestro para atar al caballo, pero no demasiado apretada, para que no se sienta incómodo. Llevar un caballo en un vehículo de transporte puede ser realmente estresante, ya que los caballos son cautelosos con los espacios confinados. Para evitarlo, entrene a su caballo para que suba y baje del remolque antes del día de viaje.

Lista de control de transporte

✔ Investigar el mejor modo de llevar el caballo a casa

✔ Contratar un servicio profesional de mudanza de caballos

✔ Inspeccionar el vehículo de transporte

✔ Planificar el viaje tomando la ruta más corta posible

✔ Llevar suficiente agua y alimento para el caballo

✔ Conseguir botas de viaje para el caballo

✔ Entrenar el caballo para entrar y salir del remolque antes del día del traslado

Instalando el caballo en su nuevo hogar

Después de un largo viaje (o tal vez uno corto), finalmente ha llegado a su casa de destino, con su caballo. Los primeros días y semanas de la llegada de su caballo son importantes para ayudarle a adaptarse a su nuevo hogar y familiarizarse con usted. Aquí hay pasos importantes que pueden ayudarle a establecer su caballo en su nuevo hogar.

Paso 1: Sacar a su caballo del remolque puede ser una tarea desalentadora, ya que el caballo debería estar nervioso y reacio. Si ha entrenado a su caballo en cómo entrar y salir de un remolque, puede que no sea tan difícil. Preferiblemente, y especialmente si es su primer caballo, tenga una persona experimentada cerca para guiarle y ayudarle.

Paso 2: Suavemente y pacientemente guíe a su caballo hasta el establo y quítele las botas de viaje. Proporcione agua limpia y heno en su establo. Si tiene otros caballos, coloque a su nuevo caballo de manera que pueda ver a los otros caballos.

Si va a colocar su nuevo caballo en un pastizal cerrado, considere caminarlo alrededor de la cerca, para que se acostumbre a los límites y sepa dónde encontrar comida y agua.

Paso 3: Cuando quiera sacar a su caballo por primera vez, protéjalo con botas, para que no se lastime o sea lastimado por otros caballos. Mantenga a su caballo en un establo cerrado o en un pasto, de cara a otros caballos. Esto le ayudará a interactuar con los otros caballos.

Deje su nuevo caballo en su establo durante los primeros días. Esto le ayudará a relajarse y a sentirse seguro. Asegúrese de que se alimente y beba el agua correctamente. Compruebe su temperatura regularmente y si tiene alguna preocupación, consulte a un veterinario. Ya que no está haciendo ejercicio, puede reducir su alimentación para evitar que tenga cólicos.

Paso 4: Mientras esté en su establo, puede familiarizarse con él, aseándolo y pasando tiempo con él. Después de unos días, puede llevar a su nuevo caballo a dar un paseo por los terrenos. Use una cuerda y una brida para guiarlo. Permítale explorar su nuevo entorno mientras lo vigila.

Si tiene más de dos caballos, es aconsejable no presentar su nuevo caballo a toda la tropilla de una sola vez. Más bien, a medida que pasen las semanas, preséntelos uno tras otro. Manténgalo alejado de los demás, pero no totalmente aislado, ya que los caballos son criaturas sociales y también necesitan compañía.

Paso 5: Una vez que esté seguro de que su nuevo caballo ha pasado un tiempo considerable con usted y está más familiarizado con el terreno y los otros caballos, puede considerar dejarlo salir con toda la tropilla. Antes de hacerlo, asegúrese de que haya suficiente pasto para que todos los caballos pasten cómodamente. Si el pasto es demasiado pequeño, es probable que haya una lucha por el espacio y el pasto entre los caballos —¡no quiere eso! La regla general es tener un acre de pasto por caballo.

Paso 6: Cuando decida dejar salir a su nuevo caballo con toda la tropilla, tendrá que estar cerca y observar cuidadosamente, para que no haya peleas o lesiones. No hay necesidad de apresurarse con las presentaciones. Observe a su nuevo caballo por cualquier signo de estrés o maltrato por parte de los caballos más viejos.

Pase tiempo con el nuevo caballo, cepillándolo y familiarizándose con lo que le gusta.

Paso 7: Montar su nuevo caballo por primera vez es una experiencia emocionante para cualquier propietario de un caballo. Antes de empezar a montar, su caballo ya debe sentirse cómodo con usted y el entorno. No lo fuerce, pero sea lento y suave con el caballo.

Esto es todavía parte del proceso de conocer a su caballo y viceversa para él. Cabalgue una distancia corta las primeras veces, haciendo lo posible por mantenerlo simple. Con el tiempo, ambos se acostumbrarán el uno al otro.

Paso 8: Ser dueño de un caballo crea una vía para hacer nuevos amigos, ¡compañeros dueños de caballos! Conozca a otros propietarios de caballos, intercambie historias y obtenga consejos e ideas sobre cómo cuidar mejor a su caballo. Aproveche la experiencia de jinetes experimentados en el entrenamiento y mantenga su caballo a salvo.

Puede aprender mucho escuchando las historias y experiencias de otras personas.

Paso 9: Lo más importante es que se mantenga en contacto con el anterior propietario o vendedor de su caballo. Hágale saber las mejoras que el caballo está haciendo y pregúntele cuando no esté seguro de ciertos rasgos de comportamiento.

Vigile de cerca la salud de su caballo y consulte a un veterinario cuando sea necesario.

Capítulo cuatro: Manejo y vinculación con el caballo

Antes de ir más lejos, es primordial que entienda la mentalidad y los patrones de comportamiento del caballo para mejorar y desarrollar su relación con él. Como se dijo antes en el libro, los caballos son animales muy inteligentes con una mente propia. Cuando se puede comprender la forma en que un caballo piensa, se puede modificar su comportamiento y entrenarlo.

La primera y más importante cosa que debe saber sobre el caballo es que es un *animal de presa*. Esto significa que sus acciones y patrones de pensamiento se basan en mantenerse vivo. Considere otros animales de presa que conoce, conejos, ovejas, etc.; todos ellos poseen un instinto común para sobrevivir, y esto se ve a menudo en su comportamiento y reacción a lo que consideran como amenazas.

El caballo, al igual que estos animales, entiende que para mantenerse vivo, tiene que estar alerta y vigilante de amenazas o peligro percibido. Por eso puede encontrar a su caballo ansioso por cosas aparentemente sin importancia, como caminar por un pequeño charco de agua, subir a un remolque, estar en una situación novedosa o escuchar sonidos inesperados en el entorno. Su primer instinto es huir para protegerse. Este es un ejemplo de las habilidades de autopreservación que han adquirido a lo largo de los años.

Para el caballo, el humano es un depredador, a menos que se demuestre lo contrario. Los depredadores, a diferencia de las presas, están menos enfocados en sobrevivir y más en lograr su objetivo. La presa (el caballo), por otro lado, solo quiere vivir. Huye, no necesariamente por miedo a ser herido, sino para salvar su vida. Saber esto sobre su caballo puede ayudarle a relacionarse mejor con él. Ahora que sabe cómo le ve el típico caballo, su objetivo debe ser ganar su confianza construyendo una relación con él. Este suele ser el primer paso para entrenar a su caballo.

Los caballos son animales sociales que viven en manadas y tienen una estructura jerárquica. Esta estructura es fundamental porque permite un líder dominante y confiable que hace que el caballo se sienta seguro. Todos respetan al líder porque proporciona comida, guía y seguridad para todos. Come y bebe primero, mientras los demás esperan, y ejerce su dominio de forma asertiva reclamando su espacio. Los demás caballos entienden esta afirmación y se someten a la autoridad. Si tiene más de un caballo, puede tomarse el tiempo de estudiar su tropilla y tratar de identificar al dominante.

Debe saber que los caballos desean naturalmente el liderazgo, ya sea solos o en tropilla. Como propietario de un caballo, debe proporcionar ese liderazgo, o el caballo tomará las riendas. La base de una relación exitosa entre caballo y humano comienza con usted tomando el liderazgo. Cuando el caballo le ve como un líder confiable, respeta su autoridad y sigue su dirección, al igual que la jerarquía social de las tropillas. Afirmando el dominio es como se convierte en el líder de la tropilla. Esta afirmación no se hace con violencia, sino con calma y firmeza. La mayoría de las veces se hace inhibiendo o permitiendo el movimiento. Por ejemplo, si su caballo quiere moverse en cierta dirección, puede detener su movimiento aplicando presión con sus riendas y soltándola cuando lo desee. Debe ser usted quien controle su movimiento y no al revés.

Cuanto más dominio usted ejerza, más dispuesto estará su caballo a seguir su liderazgo. Cuando su caballo esté dispuesto a seguirle, entrenarlo para cualquier propósito no será difícil. Su caballo debe verle como un líder seguro y consistente. Tome el mando cuando las situaciones se presenten y dele dirección a su caballo. Los caballos tienen dos necesidades principales: seguridad y comodidad. La falta de comodidad para el caballo puede variar desde cosas leves como un pedazo de plástico en movimiento hasta situaciones peligrosas como la amenaza de un depredador; ambas son igualmente aterradoras para él. Si se siente seguro, buscará deshacerse de la incomodidad. Pero cuando hay un líder claramente definido, el caballo se siente seguro y protegido. Como propietario de un caballo, apunte a hacer que su caballo se sienta seguro.

Manejo seguro de los caballos

El manejo seguro de los caballos se refiere a las directrices y reglas. Cada propietario de un caballo debe saber, por su propia seguridad y la del caballo. El caballo es físicamente más fuerte que un humano, por lo que es muy importante tomar medidas de seguridad mientras se le cuida. Como se ha dicho antes, los caballos son animales de presa cuyo primer instinto ante un estímulo desconocido (charco, espacio cerrado, ruido inesperado) o la incomodidad es defenderse y huir. Por lo tanto, deben ser manejados con calma y suavidad. Estas directrices de seguridad ayudan al propietario de un caballo a atenderlo de la mejor manera posible para no ser herido por el caballo. Puede parecer demasiado al principio para el propietario de un caballo principiante, pero no hay que preocuparse; se acostumbrará rápidamente a ellas con el tiempo.

1. Acercarse siempre al caballo desde un punto visible, preferentemente por delante, para que no sea sorprendido sin darse cuenta de su presencia. Evite tocarle o palmearle por detrás, ya que esto puede asustarle fácilmente, haciendo que reaccione de forma agresiva.

2. Lleve un calzado duro y protector mientras atiende a su caballo para evitar que se lastime si le pisa. Los zapatos causales, abiertos o delgados no deben usarse en el establo o alrededor de su caballo.

3. Cuando limpie el establo de su caballo, lo asee o lo prepare para un paseo, manténgalo atado. Es peligroso dejarle vagar libremente por el establo.

4. Los caballos son muy diferentes de los perros u otras mascotas que se pueden alimentar con las manos. Pueden confundir sus manos con comida y morderle, junto con lo que le dé de comer. Para alimentar a su caballo con golosinas, hágalo desde un cubo.

5. Nunca debe pararse directamente detrás de un caballo. Tiene poderosos cuartos traseros que pueden noquearle con una sola patada. Para limpiar su cola, párese a un lado, y cuidadosamente tire de la cola hacia usted.

6. Si está limpiando los cascos de su caballo o quiere ponerle vendas, no se arrodille ni se ponga en cuclillas; en su lugar, agáchese. Si el caballo hace algún movimiento, puede salir rápidamente del peligro.

7. Ate a su caballo con nudos simples y fáciles de quitar como el nudo de liberación rápida para que si su caballo se siente incómodo o amenazado, pueda liberarse rápidamente. Los nudos duros o complicados pueden hacerle sentir restringido, y él podría reaccionar negativamente.

8. Utilice una rienda y un cabestro para guiar y dirigir a su caballo de forma segura. No coloque sus manos o dedos a través de ninguno de los equipos de aparejo, ya que puede lesionarse fácilmente con los movimientos bruscos del caballo.

9. No se quede al lado de su caballo sin ser visto. Asegúrese siempre de que su caballo vea y sepa quién es usted mientras lo cepilla o simplemente hable con él.

10. No limpie el establo de su caballo mientras este esté dentro. Póngalo en otro establo o llévelo a pastar.

11. Comprenda el lenguaje corporal de su caballo mientras interactúa con él. Los caballos se comunican con sus ojos, orejas y cola. El movimiento continuo de sus orejas indica nerviosismo, mientras que las orejas planas indican molestia o ira, lo que puede llevar a un ataque. Si sus orejas están relajadas, él también lo está.

12. Los caballos aprenden mucho del comportamiento abierto y encubierto de su dueño. Son buenos jueces del estado de ánimo y pueden detectar el miedo y la ansiedad. Mientras maneje su caballo, debe ser confiado y audaz.

13. No ate la cuerda o las riendas alrededor de sus manos o parte del cuerpo. Puede ser desastroso si el caballo se mueve repentinamente sin dirección. Nunca se ate de ninguna manera a un caballo.

14. Las puertas de los establos deben ser lo suficientemente anchas para que su caballo pueda pasar sin sentirse apretado. Si tiene que pasar por una puerta estrecha con su caballo, dirija el camino entrando primero, luego párese a un lado y déjelo pasar.

Vinculándose con los caballos

Los caballos son excelentes compañeros. Son emocionales, terapéuticos y fáciles de hablar. Mientras que esta fácil camaradería parece encantadora, no viene con poco esfuerzo. Para el propietario de un caballo, el vínculo con su caballo comienza con una confianza mutua de ambas partes. Su caballo tiene que aprender a confiar en usted para mantenerse seguro y cómodo. Usted, el dueño del caballo, tiene que manejar su caballo de una manera suave, cuidadosa y sincera.

Si usted es un principiante con los caballos y se está preguntando por qué no parece que usted se vincula con su caballo, tal vez usted no está haciendo las cosas correctamente. Mientras usted interactúa y pasa tiempo con su caballo, hay consejos y trucos que puede emplear para ayudar a fomentar la relación entre ambos. Estos consejos, cuando se ponen en práctica, le ayudan a usted y a su caballo a desarrollar una relación estrecha y duradera.

Sea un líder firme, de mente abierta y asertivo

La importancia de que sea un líder para su caballo ya ha sido explicada anteriormente, así que no debería sorprenderle lo importante que es esto. Ser un líder firme y asertivo hace que su caballo respete su autoridad y dominio. Le tratará como el jefe de la manada y seguirá su ejemplo. No obstante, sea abierto y justo. Trate bien a su caballo usando claves consistentes que pueda entender y seguir. Los caballos no son pensadores lógicos, así que no tenga expectativas poco realistas de ellos. Los caballos tienen buena memoria y pueden saber cuándo no se les trata bien. Pueden volverse resistentes y obstinados en tales casos. Es mejor comenzar la relación con buen pie.

Pase tiempo de calidad con ellos

Su relación con su caballo debe ir más allá de las horas de trabajo o de entrenamiento. Para desarrollar un vínculo con su caballo, debe demostrarle que está interesado en él y no solo en el trabajo que puede hacer. Visítelo en el establo a menudo y llévelo a pasear a entornos serenos. Los caballos se relajan y pasan tiempo juntos cuando salen a pastar. También puede recrear esta práctica sentándose en el pasto con él mientras pasta tranquilamente a su lado. Esto es similar a dos amigos relajándose juntos. Combine su ritmo con el suyo, y no tenga miedo de hablar con él. Deje que escuche su voz a menudo para que se acostumbre a oírle y pueda reconocerle. Ejercicios como este reducen la tensión entre ustedes y también son beneficiosos para la salud de ambos.

Participe en el entrenamiento de rutina

Los caballos son criaturas aventureras que disfrutan de los desafíos. Participar en un entrenamiento riguroso y rutinario con ellos le ayuda a desarrollar el proceso de unión. Debe tener cuidado de no trabajar demasiado o de no agotar a sus caballos con demasiado entrenamiento. Tome descansos cuando sea necesario y esté atento a la salud de su caballo. En otros días, puede simplemente hacer maniobras de trabajo con su caballo. Es necesario tener una rutina de entrenamiento equilibrada, y a veces, puede añadir una nueva actividad para desafiar a su caballo.

Cepille su caballo con regularidad

El aseo es una forma importante de vincularse con su caballo. Los caballos en libertad también se dedican a una práctica similar; se acicalan unos a otros. Esto, por supuesto, no se hace con cepillos, sino acariciando sus cuellos uno contra otro. Es una muestra de afecto, y más importante, ayudan a cada uno a rascarse las partes que de otra manera no podrían alcanzar por sí mismos. Así que, cuando cepille a su caballo, no solo lo mantiene limpio, sino que también le rasca partes de su cuerpo que no habría podido alcanzar por sí mismo. Los caballos tienen "puntos dulces", y el aseo regular le ayuda a descubrirlos. A algunos caballos les gusta rascarse mientras que otros prefieren un toque suave. Descubrir la preferencia de su caballo es útil cuando quiere recompensarlo o ayudarlo a sentirse menos ansioso.

Masaje con la mano

Si usted ha estado en un spa o en un masaje, entonces sabe lo relajantes que pueden ser los masajes. Una buena idea para relajar a su caballo es usar sus manos para masajearlo suavemente, preferiblemente en uno de los lugares dulces que ha descubierto recientemente. Los masajes equinos son muy beneficiosos y terapéuticos para los caballos, especialmente cuando se sienten nerviosos o agitados. Esto también ayuda a desarrollar un vínculo más fuerte porque, con el tiempo, su caballo asociará sentimientos positivos con usted. Él esperará su llegada porque su caballo sabe que cuando esté con usted, se sentirá bien y relajado.

Comprenda las claves físicas de su caballo

Los caballos, como los humanos, se comunican de forma no verbal. Como no pueden hablar, expresan sus sentimientos y emociones con señales no verbales. A menudo, su caballo se comunica con usted de esta manera, y por lo tanto, como propietario de un caballo, usted necesita leer el lenguaje corporal de su caballo para saber lo que está tratando de decirle. Sus orejas, ojos y cola indican cuando el animal está tenso o asustado, feliz o relajado, cansado o enfermo. También hay momentos en los que su caballo quiere jugar, y eso se expresa frecuentemente en el lenguaje corporal. Cuanto más tiempo pase con su caballo, más fácil le resultará leer su lenguaje corporal y atender sus necesidades.

Exploren y experimenten cosas juntos

Compartir una experiencia con alguien tiene una manera de acercarle, es lo mismo con los caballos. A medida que explora con su caballo, cabalgando o compitiendo, enfrentando diferentes desafíos y triunfos, usted construye un estrecho vínculo. Así que no tema compartir sus emociones con su caballo. El vínculo que puede crear con su caballo puede durar mucho tiempo.

Respete el espacio de su caballo

Los caballos son animales sociales que prosperan cuando están juntos. Si solo tiene una hora, debes permitir que su caballo se mezcle y se reúna con otros caballos. Si tiene una tropilla, cree tiempo suficiente para que cabalguen y exploren juntos. Esto ayudará a mejorar el humor, la disposición y la salud general de su caballo. Los caballos solo tienen interés en la seguridad (comida y refugio), la comodidad y la compañía. Cuando usted pueda proporcionar todo esto a su caballo, él aprenderá a confiar y depender de usted.

Capítulo cinco: Alojamiento y cercado

Antes de que lleve su caballo a casa, tendrá que decidir el lugar para que viva. A menos que tenga la intención de alojar a su caballo en un establo, debe tener un establo construido en sus instalaciones. El albergue es una opción más costosa, aunque algunas personas podrían encontrarlo más conveniente. También extrañará el placer de tener su caballo a su alrededor. Dependiendo del servicio de establo que elija, puede gastar entre $200 y $450 por mes para mantener a su caballo en un albergue. Incluso puede gastar más en cuidados y entrenamiento adicionales. Sin embargo, se liberará del estrés de las tareas diarias al elegir esta opción. ¿Pero qué tiene eso de divertido?

Si prefiere tener su caballo cerca de usted en casa, entonces debe construir un alojamiento para caballos y una valla alrededor de su propiedad. Necesitará mucho espacio para esto. Este proyecto también llevará algo de tiempo y, por supuesto, dinero. Tener su caballo en casa también significa que dependerá de usted para el cuidado diario, y necesitará un amplio conocimiento del cuidado de los caballos. Eventualmente, el costo de mantener su caballo en casa es más probable que sea más barato que alojarlo en un establo. Por lo tanto, un proyecto de alojamiento y vallado de la casa es una buena inversión. Aun así, necesitará planear cuidadosamente el refugio, las cercas, el equipo, el almacenamiento, la cama, el heno, la eliminación del estiércol y la administración de la instalación.

En general, prepárese para gastar unos 1100 dólares anuales en el mantenimiento de un caballo maduro en su propiedad. Esto es significativamente más bajo que el costo del alojamiento. Puede gastar más si tiene la intención de criar, entrenar o competir con su caballo.

Alojamiento del caballo

La construcción de una instalación de alojamiento para caballos implica proporcionar todo lo que su caballo necesita para estar seguro y cómodo. Esto incluye refugio del clima y el viento, un lugar para comer, e instalaciones para dormir. Las necesidades básicas de un caballo difieren de las de los humanos. Debe comprender esto al planificar el alojamiento de su caballo.

La mayoría de las veces, estas necesidades básicas dependen de lo que intente hacer con su caballo. Si tiene la intención de ir a espectáculos, por ejemplo, entonces necesitará un lugar para montar el caballo construido en su instalación de alojamiento. Pero si tiene un caballo solo para montarlo de manera casual o para el ocio, entonces un establo o un cobertizo de tres lados puede ser suficiente.

La verdad es que puede gastar todo lo que quiera para construir un alojamiento para caballos, dependiendo de su presupuesto. Puede estimar al menos 7 dólares por cada metro cuadrado de espacio si está construyendo un establo cerrado. Puede gastar aún más dependiendo de los lujos que pretenda instalar.

Por lo general, necesita construir un refugio interior, una unidad exterior y un área de paseo o de pastoreo. También necesitará uno o dos almacenes para la comida, los medicamentos y otras necesidades equinas. Finalmente, necesitará instalar una cerca para mantener a su animal encerrado apropiadamente. Repasemos el proceso de construcción de cada uno de estos en mayor detalle.

Refugio interior

Su caballo necesita un lugar para dormir y descansar (normalmente de 8 p. m. a 7 a. m.). Generalmente, cada caballo necesitará hasta 16 metros cuadrados (o 170 pies) de espacio para quedarse. Este refugio interior también tiene que tener instalaciones de cama (normalmente de aserrín), acceso constante a agua fresca y heno, buena ventilación, y una limpieza y mantenimiento adecuados. Aunque los diseños pueden variar ligeramente, este establo tendrá generalmente la puerta principal, con una mitad superior, que se abre como una ventana. Esto le permite mirar dentro del establo sin dejar salir al caballo.

Tamaño del establo

El tamaño de su establo depende en gran medida del tamaño de su caballo, entre otros factores. Para un caballo en miniatura, el establo puede tener una dimensión de 6' x 8' por caballo. Para los caballos y ponis pequeños que pesan menos de 900 libras, una caseta con una dimensión de 10' x 10' es buena. Por supuesto, necesitará más espacio para los caballos más grandes. Un tamaño de 12' x 12' es el estándar de la industria. Necesitará mucho más para un caballo de tiro más grande (tanto como 16' x 16'). Para un establo destinado a parir, necesitará un tamaño dos veces mayor que el de un establo.

Tipos de refugios interiores

Los establos para caballos pueden ser diseñados de varias maneras, dependiendo de sus preferencias y necesidades. Algunos refugios interiores comunes para caballos son los siguientes.

Establos de amarre

Este es el tipo más básico de refugio interior. En un establo de pie, el caballo es simplemente atado hacia adelante usando una cuerda o cadena. A veces, el caballo puede estar suelto con cadenas en los extremos abiertos del establo. Los caballos alojados de esta manera deben haber sido entrenados para estar de pie en silencio. Un establo de amarre debe tener al menos 3 metros de largo y 5 metros de ancho.

Los establos de los caballos no son muy cómodos, ya que proporcionan un espacio muy limitado para el movimiento, aunque pueden servir para acomodarse en los casos en que se disponga de un espacio limitado. Los establos de amarre son menos populares hoy en día de lo que solían ser en el pasado.

Caballerizas

Otra opción para alojar a los caballos es una caballeriza abierta o libre. Esto proporciona una forma de protección y refugio para su caballo, también le permite mantenerlo en un área al aire libre. Este tipo de alojamiento se utiliza comúnmente para albergar a un grupo de caballos que se llevan bien entre sí.

Establo de cobertizo abierto

Estos son similares a las caballerizas, pero diseñados en una fila con puertas que se abren al aire libre. Las puertas son típicamente del tipo de puerta holandesa con una mitad superior abierta para la ventilación. Los establos de cobertizos abiertos funcionan mejor en áreas con condiciones climáticas suaves.

Materiales de construcción de viviendas para caballos

Para todos los tipos de establos, la madera dura es el material común utilizado en la construcción. Esta madera dura es comúnmente tratada para desalentar al caballo de masticar la madera. Aunque se pueden utilizar pinos y otras maderas blandas, lo más probable es que el caballo las mastique rápidamente.

El suelo del establo puede estar compuesto por una base de roca triturada, que suele estar cubierta de cal o arcilla. Las superficies duras como el asfalto o el cemento pueden ser utilizadas para el suelo de los establos. El suelo también puede ser de arena. Esta última opción es menos estable y duradera que la cal o la arcilla compactada, aunque permite un mejor drenaje y es más cómoda para el caballo que las superficies más duras que son resbaladizas y duras para las patas del caballo.

Sin embargo, el suelo duro es más fácil de limpiar que la arena. Puede usar el suelo duro junto con suficiente ropa de cama y algún tipo de alfombra, lo que ayuda a aliviar algunos problemas asociados con las opciones de suelo duro.

Techo y puertas de los establos

Un establo debe proporcionar suficiente espacio libre desde el suelo. Necesita una altura de al menos 3 metros o incluso más para una buena circulación de aire y seguridad. Las puertas del establo deben tener al menos un metro de ancho. Necesitará puertas más grandes para un caballo de tiro.

Generalmente, tiene dos opciones para las puertas de los establos. Puede tener puertas holandesas o puertas correderas. Si hay una puerta holandesa, debe abrirse hacia el pasillo y no hacia el establo. Las puertas correderas son generalmente más fáciles de maniobrar, pero son generalmente más caras.

Debe elegir entre encerrar a su caballo o tener una ventana superior sobre la que el caballo pueda colgar su cabeza. Los caballos que no están encerrados son generalmente más felices, aunque esto también conlleva el riesgo de morder a los transeúntes.

Las puertas pueden estar hechas de una amplia gama de materiales (comúnmente madera). Pero las puertas de acero o malla de alambre son populares en lugares con climas cálidos, ya que esto promueve una mejor circulación de aire. Sin embargo, la malla puede permitir que parte de la cama se derrame en el pasillo. En general, su establo de caballos debe estar bien construido, robusto y asegurado con un pestillo "a prueba de caballos" sin bordes peligrosos o salientes.

Cama

Una de las consideraciones finales para el alojamiento en interiores son las opciones de cama. Se pueden utilizar varios tipos de materiales para la cama, desde paja hasta virutas de madera. Cuál de ellos se elija dependerá de la disponibilidad de material en su área, el costo y la adecuación a sus necesidades. La paja y las virutas de madera pueden ser compradas de los fabricantes locales de madera o de los fabricantes de muebles de su entorno. Otras opciones posibles para la cama incluyen cáscaras de arroz, aserrín, cáscaras de maní, pulpa de papel y musgo de turba.

El grosor de la cama depende, en gran medida, del suelo. Para un suelo de tierra, es bueno tener solo 3 o 4 pulgadas de lecho. Para suelos más duros hechos de cemento o asfalto, la cama debe tener al menos de 8 a 10 pulgadas de profundidad.

Viviendas al aire libre

Debería ser suficiente con un simple refugio de tres lados con un techo robusto. Un refugio al aire libre alberga a su caballo en días calurosos o lluviosos. En promedio, apunte a un tamaño de al menos 170 pies cuadrados por caballo para su refugio al aire libre.

El costo de construcción de un refugio al aire libre es generalmente más bajo que el de un refugio interior. Vienen en diferentes diseños, desde graneros de tres lados hasta barras abiertas. Se recomienda alimentar a su caballo en su refugio al aire libre en lugar de en el establo. Esto reducirá el estiércol en el establo, y es menos probable que sus caballos se peleen por la comida en un área abierta que en un espacio cerrado.

El área exterior de pastoreo/caminata

Parte de su vivienda al aire libre es un área de pastoreo o de paseo. Los expertos recomiendan que permita que su caballo paste o camine para mejorar su salud y bienestar. Se recomienda un espacio de al menos 6.000 metros cuadrados por caballo para el pastoreo al aire libre. No hay reglas estrictas sobre cómo debe ser diseñado. Sin embargo, asegúrese de retirar los objetos extraños y las rocas de esta área para evitar que su caballo se lastime.

Almacenamiento del alimento

También tendrá que considerar la posibilidad de almacenar en su granero el heno, los alimentos comerciales, las drogas y otros botiquines de salud. Necesita una habitación seca y a la sombra, diseñada para mantener el alimento de su caballo fresco y libre de plagas. El cuarto de almacenamiento de alimento también debe estar fuera del alcance de los caballos. Su tamaño y el método de almacenamiento dependen de la cantidad de caballos que tenga que alimentar. También necesitará planear un espacio para almacenar paja y materiales de cama.

Necesitará un cuarto especial para guardar el equipo valioso que utilice en sus instalaciones de forma segura y sin polvo. También puede agregar algunas otras características a su almacén que lo hagan más habitable, como una silla cómoda, un armario de almacenamiento o incluso una pequeña nevera. Dependiendo de sus necesidades y preferencias, puede que incluso se vaya con algunas características de lujo adicionales como una cafetera, una lavadora o secadora, un horno microondas y un calentador de agua.

Valla para caballos

Otro componente vital del alojamiento de los caballos es la valla. En la antigüedad, los propietarios de caballos se limitaban a piedras y palos como materiales para hacer vallas. Hoy en día, gracias a la tecnología moderna, las cercas modernas se hacen con una amplia gama de materiales. Aun así, es imposible afirmar que un tipo de valla sea el único perfecto. La elección del material ideal para las vallas implica un equilibrio entre la estética, el coste y la seguridad.

Consideraciones de seguridad de la cerca para caballos

La cerca para los caballos tiene peculiaridades que no pueden ser ignoradas. Aunque es posible mantener los pastos del ganado y otros animales de granja encerrados con una cerca de alambre de púas, esto no puede hacerse con los caballos.

El cercado de caballos está sujeto a varios factores, incluyendo el código de construcción del lugar en el que se vive. Sin embargo, todavía hay consideraciones importantes que se aplican a los cercados para caballos en todas partes. Por ejemplo, se recomienda generalmente que los cercados para caballos tengan al menos de 54 a 60 pulgadas de altura. Es posible que deba ser más alto dependiendo de la raza de los caballos o si su propiedad está junto a una carretera, o en cualquier otro lugar en el que una fuga de sus instalaciones pueda ser una preocupación importante. Aquí, se recomienda una altura mínima de 5 pies para una cerca de campo mientras que se recomiendan al menos 6 pies para los corrales de los establos y las pistas.

Los expertos también recomiendan que la parte inferior de la valla tenga una abertura de 8 a 12 pulgadas. Esta abertura debería tener la dimensión adecuada para evitar que las patas de su caballo queden atrapadas bajo la valla o que los potros salgan rodando. La abertura debería ser lo suficientemente amplia para evitar que el casco quede atrapado o simplemente demasiado pequeña para que el casco pueda pasar.

Con las cercas de alambre, la visibilidad es una de las principales consideraciones. Una valla de madera o una hecha con material PVC es fácilmente distinguible para un caballo. Pero las cercas de alambre son casi invisibles, y en caso de pánico, su caballo podría chocar con la cerca y arriesgarse a lesionarse. La visibilidad de una valla de alambre puede mejorarse añadiendo un riel superior hecho de otros materiales como el PVC o la madera. Las cercas de alambre también tienden a estar electrificadas, lo que ayuda a crear una barrera psicológica que mantiene a los caballos bajo control.

No importa el tipo de material utilizado y cómo se construye, presente un lado liso del material al caballo. Además, las tablas y otros materiales de la valla deben montarse dentro y no fuera de los postes de la valla, ya que esto hace más difícil que el caballo los suelte. También hay que tener en cuenta el ángulo de las esquinas de la valla, sobre todo cuando se tienen caballos que no se llevan bien. Con un ángulo de esquina agudo, un caballo acosado es probable que quede atrapado. Una forma sencilla de resolver esto es hacer que las esquinas de la valla sean curvas o simplemente bloquear las esquinas completamente.

Postes de la valla

Tal vez la parte más importante de una valla es el poste. Esto determina la integridad y la fuerza de la valla, ya que la puerta y otras partes del conjunto de la valla se sujetan contra ella.

Postes de madera

Tradicionalmente, la madera es el material más utilizado para hacer postes de cercas. La elección de la madera en todos los casos depende en gran medida de la disponibilidad local de materiales. Por ejemplo, en la mayor parte del oeste de los Estados Unidos, la madera blanda es la más abundante. Del mismo modo, la madera dura se utiliza más comúnmente para hacer postes de cercas en el Este, Medio Oeste y Sureste.

Algunas de las maderas blandas comunes que se pueden utilizar para los postes de las cercas son la secoya, el cedro y el ciprés. Sin embargo, son muy caras, por lo que la mayoría de la gente simplemente opta por el abeto o el pino tratados, que cuestan menos y han sido impregnados con productos químicos que evitan el óxido y los daños causados por insectos u hongos.

Los postes de madera son más comúnmente clavados en el suelo. Esta es una técnica más confiable que produce resultados más fuertes que la excavación y el relleno. Los postes de madera se utilizan comúnmente combinados con materiales de alambre (como alambre de malla en V, alambre de alta resistencia, alambre tejido, etc.) para reducir el costo total de la cerca. Otros materiales como los productos de alambre cubiertos de vinilo y las planchas de PVC de vinilo y alambre también pueden utilizarse en combinación con postes de madera.

Postes metálicos en T

Los postes de las cercas para caballos también pueden estar hechos de materiales metálicos. Estos son generalmente más baratos y fáciles de instalar en comparación con los postes de madera. Sin embargo, el poste T de metal ofrece poco en términos de atractivo estético.

Si elige postes metálicos en forma de T, hágalos lo más seguros posible para su caballo. Para minimizar el riesgo de que su caballo sea empalado por el poste, cúbralos con tapas de plástico. Las tapas que se instalen en su poste T de metal deben permitir la instalación de una cinta de malla electrificada. Esto ayuda a aumentar la visibilidad de la valla y a prevenir la socialización o el pastoreo sobre la valla, que es una causa común de daños en la misma.

Barreras de valla

La parte funcional de una valla para caballos es la barrera, y la calidad de la misma determina cuán robusta será su valla. En última instancia, ninguna barrera es impenetrable, especialmente si su caballo está empeñado en escapar. Sin embargo, el objetivo es crear una barrera de valla que sea lo suficientemente fuerte para mantener a su caballo contenido sin causar daño al animal si se carga en la valla. La barrera de valla también debe servir como un disuasivo psicológico que ayude a evitar que el caballo se escape. Las barreras de la valla pueden ser hechas de una amplia gama de materiales, y esto incluye:

Tablas de madera: La madera es un material muy deseado para las vallas, principalmente por su estética, su fuerza y su mayor visibilidad. Sin embargo, la madera es más cara y de alto mantenimiento, ya que son propensos a la intemperie o a que los caballos los mastiquen. Los caballos asustados también pueden romper las barreras de madera, y las astillas o los clavos pueden causar lesiones. Si elige una barrera de madera, puedes esperar gastar entre 4 y 5 dólares por pie lineal de valla.

Valla de tablas de PVC: Otra opción visualmente atractiva para el cercado de caballos es una tabla de PVC. Es tan estéticamente agradable como la madera, pero sin el dolor de cabeza del mantenimiento. Pero una barrera de PVC es aún más costosa. Puede gastar hasta 10 dólares por pie lineal de valla. Un material de PVC (incluso cuando está reforzado con nervaduras internas) se romperá bajo presión. Por lo tanto, comúnmente se equipan con electricidad para mantener al animal bajo control dentro del recinto.

Tubería de acero: Este es un material excepcionalmente fuerte para hacer vallas para caballos. Sin embargo, su limitación también está en su fuerza. Los tubos de acero raramente ceden, lo que significa que su caballo corre el riesgo de sufrir lesiones graves si se topa con este tipo de cerca. Sin embargo, como las cercas de acero tubular son muy visibles, el riesgo de que esto ocurra es mínimo. Los tubos son generalmente más baratos de comprar, pero difíciles de instalar. Por lo tanto, los costos de mano de obra pueden hacer que el precio sea alto, ya que debemos contratar a un instalador profesional. Modificar esta barrera de valla será difícil. Por lo tanto, deben ser planificadas e instaladas correctamente.

Alambre de alta tensión: Esto se refiere al alambre bajo tensión, y es uno de los materiales más utilizados para las barreras de cerco. Hay diferentes cercas de alambre de alta tensión, que incluyen cercas de alambre liso y alambre tejido. En estos tipos, el alambre se tensa contra postes y esquinas colocados de forma intermitente a lo largo de las líneas de la valla para contrarrestar las fuerzas de tracción.

Las barreras de alambre tensado de alquiler suelen instalarse profesionalmente, ya que requieren el conocimiento de diversas técnicas profesionales que mantienen la cerca bien sujeta. También se pueden instalar muelles y tensores en la valla para asegurar que mantiene la tensión correcta a pesar de los cambios de temperatura y de estiramiento.

Alambre liso: Esta cerca de alambre es como el alambre de púas, pero sin las púas. Son la barrera de alambre más barata. Los alambres no solo son más baratos, sino que también pueden abarcar una mayor distancia y por lo tanto pueden tener un amplio espacio entre los postes de hasta 20 pies, lo que ayuda a reducir aún más los costos. La visibilidad es un gran problema con este alambre. Para resolver este problema, normalmente están envueltos en una capa de PVC que viene en una amplia gama de colores. También se recomienda que estén equipados con electricidad para disuadir a los caballos de tratar de atravesarlos o de correr contra ellos.

Valla de campo tejida: Este es otro material de cercado de alambre de uso común que encuentra aplicación en varias formas de manejo de ganado. Es barata y eficaz para mantener a los caballos bajo control y al mismo tiempo mantener fuera a la fauna silvestre no deseada. Las barreras de campo tejidas están hechas de materiales baratos que han sido soldados para crear un efecto de tejido. Los mejores tipos usan nudos en la intersección de los alambres. Debido a su diseño, son más visibles que los alambres lisos, y la visibilidad se puede mejorar aún más teniendo una tabla superior instalada o electrificando la cerca.

Barrera de malla V: Este es un tipo de material de cercado de alambre compuesto por mallas de alambres diagonales y horizontales tejidos para crear un patrón de tejido en forma de diamante o en forma de V. Al igual que la cerca tejida, no solo mantienen a los caballos bajo control, sino que también bloquean la vida silvestre no deseada y los depredadores de manera efectiva. Por lo tanto, son la mejor opción para las instalaciones de cría y los pequeños recintos de paddock. Pero son más caros con un costo similar al de las cercas de madera tradicionales.

Cercado eléctrico

Las cercas para caballos están diseñadas para disuadir físicamente a los caballos de escapar y también presentan una forma de barrera psicológica que los mantiene a raya haciéndoles pensar que escapar es demasiado difícil o imposible de lograr. Aunque los materiales de cercado discutidos hasta ahora ayudan a lograr lo primero, un sistema de cerco eléctrico proporciona el efecto disuasivo psicológico.

Las cercas eléctricas pueden combinarse con todo tipo de materiales convencionales para cercas, incluyendo madera, PVC, y cercas de alambre. Ayudan a reducir el riesgo de daños y a mejorar la eficacia de su barrera. El coste de añadir un cercado eléctrico a la barrera de la valla es de unos 15 céntimos por cada pie lineal de cercado.

Típicamente, una cerca eléctrica dispensa una corriente de alto voltaje, pero de bajo amperaje. Esto choca de forma segura al caballo cuando se apoya, choca o intenta pastar sobre la valla y sirve como disuasión psicológica. El sistema consiste típicamente en un cargador que dispensa la corriente, materiales de alambre conductor, y los postes hundidos en el suelo que completa el circuito. El sistema debe ser instalado correctamente y bien mantenido para evitar fallos en el circuito debido a la rotura del cable o a una mala conexión a tierra. Además de la instalación profesional, deben realizarse regularmente inspecciones rutinarias y reparaciones de daños para mantener el sistema eléctrico en condiciones de funcionamiento.

Capítulo seis: Nutrición y alimentación de los caballos

Como todos los seres vivos, los caballos comen. ¡¡Esto es obvio!! Si usted va a ser un propietario de caballos consciente y cuidadoso, es esencial que se familiarice con la nutrición y la alimentación de los caballos. Para mantenerse sano y fuerte, su caballo debe ser alimentado con el suplemento adecuado y las opciones de heno necesarias para mantener una buena salud.

Hay varios mitos y opiniones diferentes sobre cómo se debe alimentar a los caballos y con qué se les debe alimentar. Esto dificulta aún más la decisión sobre la nutrición y las opciones de alimentación correctas. En este capítulo, discutiremos todo lo que usted necesita saber sobre la nutrición y la alimentación de los caballos, desde los requerimientos nutricionales básicos de los caballos hasta algunas de las pautas comunes con las que usted debe estar familiarizado para cumplir con esos requerimientos.

Entendiendo el sistema digestivo de un caballo

Es necesario entender completamente la nutrición y la alimentación de los caballos; esto significa aprender cómo funciona el sistema digestivo de un caballo. Los caballos se diferencian de otros animales de granja y no deben ser tratados de la misma manera en términos de alimentación.

Un caballo es un herbívoro, pero son fermentadores de intestino posterior en lugar de animales multi gástrico no rumiantes. Esto significa que solo tienen un estómago. Los caballos tienen una pequeña capacidad estomacal (normalmente de 2 a 4 galones para un caballo de tamaño medio). Debido a este pequeño tamaño, el alimento que su caballo puede consumir en cualquier momento es limitado. El hecho de que no sean rumiantes también afecta a su hábito de alimentación.

Los équidos son animales que pastan naturalmente. Pueden pasar hasta 16 horas del día pastando en pastizales. Su estómago puede secretar enzimas digestivas como la pepsina y el ácido clorhídrico, que descompone la comida en sus estómagos. No regurgitan la comida, por lo que comer en exceso no es realmente una opción para los caballos, y comer algo venenoso puede ser fatal, ya que no pueden vomitar lo que sea que coman.

Otra peculiaridad del sistema digestivo de un caballo es la ausencia de una vesícula biliar. Esto dificulta la digestión y la utilización de alimentos con alto contenido de grasa. Solo digieren alrededor del 20% de la grasa de sus comidas, y esto puede tardar hasta 3 o 4 semanas. Debido a esto, se espera que la alimentación normal de los caballos contenga solo una cantidad limitada de grasa (alrededor del 3 a 4%).

En los caballos, la mayoría de los nutrientes se absorben en el intestino delgado, que puede contener de 10 a 24 galones de comida. Después de que las proteínas, grasas, carbohidratos, vitaminas y minerales son absorbidos aquí, la mayor parte de la porción líquida de la comida será pasada al intestino grueso donde se produce la desintoxicación. Esto también es responsable de la digestión de los carbohidratos solubles y la fibra.

Esta es una visión general de cómo funciona el sistema digestivo de un caballo. Al entender las peculiaridades de estos sistemas, es más fácil entender algunos de los requerimientos nutricionales básicos de los caballos y cómo manejarlos adecuadamente.

Requerimientos nutricionales del caballo

Los caballos requieren seis clases principales de nutrientes para sobrevivir y mantener una buena salud. Estos nutrientes incluyen agua, carbohidratos, grasa, vitaminas, proteínas y minerales. Estos nutrientes deben combinarse en la cantidad y proporción adecuadas para una dieta equilibrada del caballo.

Agua

El agua es el nutriente más vital requerido para la supervivencia de un caballo. Debe mantener un suministro de agua limpia para su caballo en todo momento. En promedio, necesitan hasta 2 cuartos de galón de agua con cada libra de heno que comen. Necesitarán aún más bajo condiciones especiales como altas temperaturas, períodos de alta actividad o trabajo duro, y para las yeguas lactantes.

Cuando se priva a los caballos de agua, puede llevar a la reducción de la ingesta de alimentos y a la disminución de las actividades físicas. Si su caballo está pasando heces secas o nota que las membranas mucosas de su boca están secas, puede estar deshidratado. Mantenga un suministro saludable de agua limpia y asegúrese de que el agua sea apetecible y accesible para su caballo.

Carbohidratos

La principal fuente de energía en la nutrición de los caballos son los carbohidratos. El componente básico de los carbohidratos es la glucosa. Los almidones y azúcares se descomponen en glucosa y se absorben en el intestino delgado del caballo. Los carbohidratos no solubles pasan al intestino grueso, donde son fermentados por microbios para liberar su componente energético. La mayoría de los alimentos para caballos contienen carbohidratos solubles en cantidades variables. El maíz es la mayor fuente de carbohidratos para caballos. La avena y la cebada son también grandes fuentes, y los forrajes pueden contener alrededor de un 8% de almidón.

Los caballos necesitan la energía suministrada por los carbohidratos para vivir. Todas las actividades funcionales básicas de sus caballos requieren un suministro de energía que es más comúnmente suministrada por los carbohidratos solubles y las fibras. Los signos de deficiencia energética en los caballos incluyen pérdida de peso, baja tasa de crecimiento, baja actividad física, baja producción de leche en las yeguas lactantes, etc. El consumo excesivo de alimentos con alto contenido energético puede conducir a la obesidad y aumentar el riesgo de afecciones como la laminitis y los cólicos.

Grasa

Esta es otra fuente vital de energía en la dieta de un caballo. La grasa suministra hasta 9 MCal de energía por kg de alimento. Esto es hasta tres veces más alto que lo que obtiene cuando alimenta a su caballo con carbohidratos. Sin embargo, los caballos tienen dificultades para digerir y absorber la grasa. Por lo tanto, solo entre el 2 y el 6% de grasa se encuentra en los alimentos premezclados para caballos, ya que mayor cantidad puede ser difícil de digerir y causar problemas eventualmente.

Proteína

Este nutriente es crucial para el crecimiento y el desarrollo muscular de los caballos. Las proteínas comprenden aminoácidos y se obtienen de alimentos como la alfalfa y la harina de soja, que son partes esenciales de la dieta de un caballo. Las proteínas se incorporan fácilmente, y la mayoría de los caballos adultos solo necesitan alrededor de 8 a 10% de la proteína en su ración. Sin embargo, los potros y las yeguas lactantes pueden requerir más que esto.

La deficiencia de proteínas en los caballos puede llevar a la pérdida de peso, a un crecimiento reducido, a una baja producción de leche y a un pelaje áspero o grueso. También puede afectar al rendimiento de su caballo. El consumo excesivo de proteínas puede causar desequilibrios electrolíticos y deshidratación en los caballos.

Vitaminas

Las vitaminas son partes vitales de la dieta de mantenimiento de un caballo. Están en dos categorías principales. Las vitaminas solubles en grasa incluyen las vitaminas K, E, D y A. La vitamina C y el complejo B son las vitaminas solubles en agua. Las vitaminas pueden ser suministradas por raciones premezcladas o en forraje verde fresco. También se pueden administrar suplementos vitamínicos a los caballos directamente durante los períodos de alta actividad o de estrés prolongado, o cuando los caballos no se están alimentando bien debido a enfermedad o a cualquier otra condición.

Las diferentes vitaminas pueden obtenerse de diversas fuentes naturales, especialmente en forrajes verdes y frondosos. Si su caballo se mantiene en un establo durante todo el día, deberá recibir un suplemento de vitamina D, ya que la fuente principal de este nutriente es la luz solar. La vitamina K, el complejo B y la C se producen en el cuerpo del caballo, pero también se encuentran en las verduras y frutas frescas. Estas vitaminas no son requisitos esenciales en la dieta del caballo, excepto en condiciones como el estrés severo.

Minerales

Este grupo de nutrientes es necesario para el mantenimiento de una estructura corporal saludable, la conducción de los nervios y el equilibrio de los fluidos en las células del cuerpo. Requieren pequeñas cantidades de la mayoría de los minerales como el calcio, el sodio, el fósforo, el magnesio, el cloruro y el azufre diariamente. Si su caballo es alimentado con raciones premezcladas de buena calidad o con un pasto verde y fresco, obtendrá todo el suministro de minerales que necesita para la salud y el crecimiento. Sin embargo, la suplementación puede requerir bajo condiciones especiales como la restauración del balance de electrolitos en caballos que sudan excesivamente –y en caballos jóvenes.

Requisitos de alimentación del caballo

En esta sección, discutiremos qué alimentar a los caballos para obtener el suministro necesario de comida que cumpla con sus requerimientos nutricionales.

Forrajes

Esto incluye pastos o legumbres y constituye una gran proporción de la dieta de un caballo. Es difícil predecir la composición nutricional exacta de los forrajes, ya que esta tiende a variar según la madurez de las hierbas, las condiciones ambientales y el manejo de los forrajes. Solo un análisis de laboratorio detallado puede determinar con precisión la composición nutricional exacta de los forrajes. A continuación se examinan los diversos tipos de alimentos para caballos en esta categoría.

Leguminosas

Las leguminosas tienen una alta proporción de proteínas en su composición. También sirven como un buen suministro de energía y minerales como el calcio. Para suministrar los nutrientes necesarios, las legumbres necesitan condiciones de crecimiento óptimas, como un buen suelo y un clima cálido. Las legumbres más populares utilizadas en la alimentación de los caballos son la alfalfa y el trébol.

Heno

Esto se refiere a los forrajes cosechados y secados para su posterior uso en la alimentación de los caballos. Puede ser en forma de legumbres o hierbas como la hierba del huerto, la hierba azul, el fleo y la festuca. El heno de leguminosas contiene más proteínas que la hierba, pero tienden a ser más caras. Los henos de hierba tienen hojas y tallos más largos que las legumbres y son más nutritivos si se cortan antes en su etapa de crecimiento. Aunque no es un signo seguro de calidad, la apariencia es uno de los principales indicadores de buena nutrición en el heno. Por eso debe evitar alimentar a su caballo con heno mohoso o polvoriento.

Concentrados

La Asociación de Funcionarios Estadounidenses de Control de Alimentos (AAFCO) define el alimento concentrado como aquel que se utiliza junto con otro para mejorar el equilibrio nutricional del alimento total. Típicamente, un concentrado está destinado a ser diluido o mezclado para producir un alimento completo. Mientras que los forrajes/hierbas son la fuente natural más común de nutrición para los caballos, los concentrados especialmente formulados suministran nutrientes específicos como proteínas, carbohidratos y vitaminas y están destinados a ser mezclados con otros ingredientes del alimento según la recomendación del fabricante.

Granos

Esto constituye otra categoría de ingredientes utilizados en la alimentación de los caballos. Los granos pueden ser dados solos o mezclados con alimento concentrado. Algunos de los granos más populares utilizados en la alimentación de los caballos se enumeran en detalle a continuación.

Avena: Esta es posiblemente el grano más popular usado en la alimentación de los caballos. Sin embargo, la avena es bastante cara. Típicamente es rica en fibra, pero tiene un valor energético digerible menor que la mayoría de los otros granos. Los caballos también encuentran la avena más apetecible que la mayoría de los granos y es fácilmente digerible por los équidos.

El maíz: Este es otro grano popular usado en la alimentación de los caballos. Contiene el doble de valor energético digerible, pero es típicamente bajo en fibra. Debería alimentar a sus caballos solo con la cantidad adecuada de maíz. Es sabroso, y dado que tiene un alto contenido de energía, es fácil sobrealimentarlo, lo que puede llevar a la obesidad. Nunca debe alimentar a su caballo con maíz mohoso, ya que puede ser letal.

Sorgo (Milo): Este es un grano de alta energía y baja fibra para alimentar a los caballos. Típicamente se encuentra en un pequeño grano duro que tiene que ser procesado para hacerlo apetecible para alimentar a los caballos y para una digestión eficiente. El sorgo es difícilmente comestible como grano por sí solo y es más comúnmente mezclado con otros granos.

Cebada: La cebada tiene un contenido moderado de energía y fibra, y es un grano apetecible para la alimentación de los caballos. Al igual que el sorgo, tiene que pasar por algún tipo de procesamiento para una digestibilidad más fácil.

El trigo: Aunque el trigo es un grano de alta energía que los caballos pueden comer, rara vez se sirve como alimento debido a su alto costo. También tiene granos duros y debe ser procesado para una fácil digestión y debe ser mezclado con otros granos para hacerlo más sabroso.

Suplementos

Los suplementos nutricionales no son los alimentos principales. En su lugar, se dan como una adición o reemplazo de nutrientes que pueden no estar disponibles en cantidad suficiente en la dieta regular de su caballo. Hay varios suplementos para los caballos.

Suplementos de proteínas: El suplemento proteínico más común es la harina de soja. Contiene proteína de alta calidad y se administra típicamente para suministrar aminoácidos esenciales. La harina de semillas de algodón y la harina de cacahuete son otros ejemplos de suplementos proteicos. Contienen alrededor de un 48% y un 53% de proteína cruda, respectivamente. El grano de cerveza (un subproducto de la producción de cerveza) es otro suplemento proteínico nutritivo y muy apetecible. El grano de cerveza también se utiliza comúnmente como suplemento de grasa y vitamina B.

Suplementos de grasa: Los suplementos de grasa también se pueden añadir a los alimentos para caballos para proporcionar una fuente adicional de grasa en los alimentos para caballos. El aceite vegetal es el suplemento de grasa más comúnmente utilizado para la alimentación de los caballos. El salvado de arroz es otro ingrediente que se ha popularizado en los últimos tiempos como suplemento alimenticio.

Las reglas de la alimentación de su caballo

No basta con saber qué alimentar a su caballo; hay reglas y consideraciones básicas para la alimentación de los caballos para asegurar resultados óptimos en lo que respecta a la nutrición y la salud de su caballo. El entender estas reglas es crucial para su conocimiento general del cuidado de los caballos. A continuación se presentan algunas de las cosas más importantes que debe recordar cuando alimente a su caballo.

Alimente a su caballo con mucho forraje

El grueso de la ingesta diaria de calorías de su caballo debe provenir de los forrajes. Mientras que el grano puede ser dado como alimento adicional para su caballo, heno de buena calidad o legumbres de pasto y el pasto es suficiente y debe ser lo principal para alimentar a su caballo. El sistema digestivo de un caballo es el más adecuado para digerir los forrajes. Asegúrese siempre de tener un buen suministro de forraje disponible y solo sirva granos como alimentación suplementaria.

Generalmente, un caballo necesitará entre 1 y 2% de su peso corporal en forraje por día. Los caballos de pastoreo normalmente se alimentan hasta 16 horas al día. Si mantiene a su caballo en un establo la mayor parte del día, puede intentar replicar este patrón de alimentación natural teniendo heno disponible delante de ellos la mayor parte del día. Esto mantendrá un suministro de forraje para su sistema digestivo.

Alimente con granos a menudo, pero en pequeñas cantidades

Como ya se ha explicado, el grano no debe ser el alimento principal de sus caballos. En su lugar, puede alimentarlos con pequeñas cantidades de granos varias veces al día. La harina de grano pequeña y frecuente replica el patrón natural de alimentación de los caballos mejor que darles grandes cantidades de grano a la vez. Su caballo puede digerir mejor de esta manera, y usted obtiene resultados mucho mejores.

Cambie el alimento y los horarios de alimentación gradualmente

Si está cambiando lo que alimenta a su caballo, debe hacerlo gradualmente en lugar de hacerlo de repente. Los cambios repentinos en el suministro de nutrientes pueden causar condiciones como la depresión o el cólico. Lo mismo se aplica si está cambiando la cantidad de alimento que le da a su caballo. Aumente o disminuya su comida poco a poco durante un período de varias semanas, no de forma repentina. Una técnica simple para cambiar la alimentación de su caballo es reemplazar solo el 25% del alimento actual con el nuevo alimento cada dos días. Esté atento a los cambios serios y a los efectos adversos para que pueda hacer los ajustes correspondientes.

Alimentar con una medición exacta y consistente de la alimentación

Una de las reglas más importantes de la alimentación de los caballos es asegurarse de que se alimente a su caballo de forma consistente con una medida exacta de la alimentación. En promedio, un équido de mil libras necesitará de 15 a 20 libras de heno diariamente. Aunque el heno se dispensa típicamente en copos, la cantidad de heno en un copo puede variar considerablemente. Todo depende del tipo de heno y del tamaño de las escamas. Debe medir la porción de heno que pretende alimentar a su caballo y solo alimentar la porción que su caballo necesita.

No alimente a su caballo justo antes o después del ejercicio.

Los caballos son animales activos, y hacen muchas actividades físicas diariamente. Si tiene planes de montar su caballo, espere una hora o más después de que haya terminado su comida antes de proceder. Para actividades aún más extenuantes, se recomienda una espera de tres o cuatro horas. Además, permita que su caballo se enfríe después del trabajo (con la frecuencia respiratoria totalmente restablecida) antes de alimentarlo. Con el estómago lleno, los pulmones de su caballo (que son esenciales para todas las actividades físicas rigurosas) tendrán menos espacio para expandirse, y esto hará que el ejercicio sea mucho más difícil para ellos. Además, durante las actividades rigurosas, el flujo sanguíneo se desviará de los órganos del sistema digestivo, y esto puede ralentizar el movimiento intestinal.

Cumpla con una rutina

A los caballos les va mejor cuando se alimentan con una rutina. Tienen un asombroso reloj interno que se ajusta a la hora de comer. Por lo tanto, recomendamos que mantenga un horario de alimentación consistente para su caballo a la misma hora todos los días. Un cambio abrupto en el horario de alimentación puede ser molesto y puede desencadenar serias condiciones de salud como el cólico.

Reglas adicionales para la alimentación del caballo

☐ Las necesidades de cada caballo son diferentes. Por lo tanto, considere el tamaño, la edad y otras peculiaridades de su caballo para decidir con qué alimentarlo.

☐ Considere el equilibrio de heno o pasto: si su caballo está pastando, con acceso a buenos pastos, entonces ya no necesita alimentarlo con tanto heno. Del mismo modo, los caballos que no tienen suficientes buenos pastos necesitarán más heno.

☐ Alimente solo una mínima cantidad de grano.

☐ Ajuste la alimentación de su caballo según la cantidad de trabajo que haga y el nivel de actividad física.

Capítulo siete: Salud del caballo y prevención de enfermedades

Los caballos son animales fuertes, pero no son impenetrables. Pueden sufrir varios tipos de enfermedades o una lesión u otra cosa. Incluso con los mejores cuidados, no pueden evitarse del todo los ocasionales ataques de mala salud.

Su papel como cuidador de caballos es reducir los riesgos y la aparición de estas dolencias. E incluso cuando se producen, debe ser capaz de reconocer los signos de mala salud, atender las lesiones o enfermedades a tiempo y asegurarse de que su caballo reciba el tratamiento que necesita.

Cómo reconocer cuando su caballo necesita cuidados

Como propietario de un caballo, reconocer si su caballo necesita cuidados es una habilidad esencial. Aunque un caballo no puede hablar para decirle cuando está enfermo, conociendo las señales que debe vigilar y observando cuidadosamente a su caballo en busca de estas señales, debe ser capaz de identificar cuando su caballo no está en buenas condiciones y aprender las formas correctas de cuidarlo. Los siguientes son signos de que algo puede estar mal con su caballo.

- ☐ Fiebre
- ☐ Respiración y frecuencia cardíaca irregulares (demasiado lenta o demasiado rápida)
- ☐ Pérdida de apetito
- ☐ Calor excesivo en las patas o las extremidades
- ☐ Secreción de la nariz, la boca o los ojos
- ☐ Hinchazón en varias partes del cuerpo
- ☐ Sensibilidad e intolerancia al ejercicio
- ☐ Cólico
- ☐ Fosas nasales acampanadas o una apariencia aterrada
- ☐ Dificultades respiratorias
- ☐ Tos crónica y sonidos inusuales
- ☐ Cojera
- ☐ Llagas en el cuerpo
- ☐ Estreñimiento y diarrea
- ☐ Espasmos musculares

Estas son algunas de las señales que hay que tener en cuenta. Aunque tener estos signos no confirma positivamente que su caballo esté enfermo, es razón suficiente para invitar a un veterinario a que eche un vistazo a su caballo y realice un diagnóstico completo.

Condiciones de la piel

Tiña

La tiña es un tipo de infección cutánea por hongos que se produce en varios animales, incluidos los caballos. Recibe este nombre debido a las lesiones de forma circular que se producen en la piel. Estas lesiones varían en su densidad y tamaño y pueden aparecer en varias partes del cuerpo del caballo como el cuello, la región de la silla de montar, el cuello o la circunferencia. Inicialmente, la infección puede mostrarse como mechones de pelo, que eventualmente se caen y dejan atrás lesiones supurantes.

La tiña es una infección cutánea contagiosa que puede propagarse por contacto directo con un animal infectado. También puede propagarse indirectamente, ya que el entorno inmediato de un caballo infectado puede resultar infectado.

Cómo prevenir y controlar la tiña: si observa un brote de tiña en su caballo, debe aislar al animal infectado tanto como sea posible. También deben eliminarse artículos como los materiales de cama utilizados por el caballo infectado. Es importante una higiene estricta para evitar la propagación de la tiña. Además, busque la ayuda de un veterinario para tratar la infección.

Escaldadura de lluvia

Se trata de una infección cutánea que se produce por un ablandamiento de la piel debido a la persistente saturación de agua. Se caracteriza por la pérdida de pelo en parches junto con los cuartos traseros y el lomo del caballo. El pelo en el lugar de la infección puede enmarañarse, y pueden aparecer lesiones y llagas.

Los caballos con un sistema inmunológico ya debilitado sufren más de esta condición. También puede ocurrir en caballos que carecen de una lubricación natural que mantenga su pelaje seco y tibio.

La escaldadura por lluvia también puede ser causada por mantas no transpirables o con fugas, que pueden exponer la espalda del caballo a una humedad constante.

Cómo prevenir y manejar la escaldadura por lluvia: mantener la humedad lejos de su caballo es la forma más efectiva de prevenir la escaldadura por lluvia. Asegúrese de tener un refugio para su caballo lejos del campo y asegúrese de usar el tipo correcto de mantas para caballos. Mantenga el establo de su caballo en buen estado, limpio y tan seco como sea posible.

Fiebre de barro y grietas en el talón

Las condiciones fangosas o húmedas causan esta condición de la piel, caracterizada por la inflamación de la piel en las patas y el estómago de los caballos infectados. El área inflamada también puede ser escamosa. Los casos graves de fiebre del barro también pueden causar fiebre o alta temperatura. La fiebre de barro es una infección bacteriana. La bacteria puede entrar debajo de la piel cuando esta está fangosa o anegada. El talón agrietado es similar a la fiebre de barro, ya que los mismos factores causan ambas condiciones.

Cómo prevenir y controlar la fiebre de barro y el talón agrietado: para prevenir esta enfermedad, debe limpiar las patas de su caballo siempre que lo traiga del campo. Para deshacerse del barro, puede dejar que se seque antes de cepillarlo o simplemente lavar el barro mojado con agua y secarlo. También puede aplicar una crema protectora, que ayude a evitar que la piel del caballo se empape.

Picor dulce

También conocida como Dermatitis Estacional Recurrente de Verano (SSRD), el *picor dulce* es un tipo de reacción alérgica caracterizada por la inflamación de la piel. A menudo, la zona afectada de la piel también puede producir picor. El lomo, la crin y la cola del caballo son las zonas más comúnmente afectadas. Un tipo de bicho ("no-see-ums" o mosquito) llamado Culicoides lo causa, provocando irritación y una reacción alérgica a la saliva del mosquito.

En casos graves, el caballo puede frotarse contra las superficies de otros para aliviar el picor.

Aunque la aparición de los síntomas de esta condición depende en gran medida de las condiciones ambientales, un caballo que desarrolla esta condición cuando es joven la padecerá continuamente.

La forma más eficaz de prevenir el picor dulce es deshacerse de los mosquitos o evitar el pastoreo de su caballo en las zonas donde es probable que los encuentre. Los mosquitos son atraídos por áreas con mucha vegetación en descomposición, típicamente en bosques o áreas cercanas al agua. Evite estas áreas por completo. Evite el pastoreo a ciertas horas del día (los mosquitos son más comunes al atardecer o al amanecer) también puede ayudar a manejar y limitar los encuentros con este insecto.

Condiciones respiratorias

Resfriado común

Los caballos pueden sufrir un resfriado común, caracterizado por una secreción blanca o amarillenta de la nariz del caballo. Esto también puede venir con una ligera fiebre y glándulas inflamadas en la nariz del caballo. La gripe es una infección viral que puede propagarse fácilmente a través del contacto con una persona infectada. Los caballos mantenidos en un establo mal ventilado durante un largo período de tiempo tienen más probabilidades de contraer una infección. Si lleva a sus caballos a espectáculos, su proximidad con otros caballos puede aumentar el riesgo de contraer un resfriado.

Cómo prevenir/manejar el resfriado común: si su caballo se resfría, aíslelo de los demás animales y llame inmediatamente a un veterinario. Mantenga a su caballo en un área bien ventilada en todo momento. Alimente a los caballos infectados con heno suave y fácil de tragar (preferiblemente empapado). Cuando esté en competiciones o espectáculos públicos, limite el contacto de su caballo con otros caballos e intente evitar que el caballo beba de los abrevaderos públicos.

Tos

Varios factores pueden causar tos. La tos más común se asocia típicamente con el resfriado común y se caracteriza por la secreción acuosa de la nariz del caballo. Este tipo de tos puede durar unas dos semanas, y la frecuencia de la tos aumenta gradualmente. Una reacción alérgica es también otra causa probable de tos, así como de bacterias y virus.

Cómo tratar/manejar la tos: si su caballo tiene tos, haga que el animal deje de trabajar o cualquier otra actividad rigurosa y llame a un veterinario inmediatamente. Trate una infección viral o bacteriana si es la causa. Si la tos es causada por reacciones alérgicas, asegúrese de que el entorno inmediato de su caballo esté limpio y bien ventilado. La cama y otros materiales del establo deben estar libres de polvo, y el heno debe ser remojado en agua para limitar el polvo. Siempre se recomienda mantener al caballo alejado de otros animales hasta que se haya determinado la causa exacta de la tos.

Otras condiciones

Cólico

Es un término que se utiliza para describir la incomodidad y el dolor abdominal en los caballos. El cólico es una indicación de un problema en el intestino o en cualquier otro órgano abdominal. Los síntomas del cólico incluyen inquietud, patadas en el suelo o intentos excesivos de rodar, respiración dificultosa o rápida, irritabilidad inusual, intento fallido de pasar el estiércol y pulso elevado. El cólico puede ser causado por una amplia gama de factores, que pueden ser tan simples como la indigestión o, en casos más graves, un intestino retorcido. Llame a un veterinario inmediatamente si nota cualquier signo de molestia o sospecha que su caballo puede estar sufriendo de dolor abdominal.

Laminitis

También llamado infosura, la laminitis es una inflamación, debilitamiento, hinchazón o incluso la muerte de los tejidos blandos del casco del caballo. Es un problema serio que suele ser muy doloroso y debilitante. Es mejor prevenir la laminitis, ya que puede ser difícil de curar. La laminitis puede estar relacionada con una amplia gama de causas, entre las que se incluyen la obesidad, la resistencia a la insulina, la mala nutrición, el síndrome metabólico, el exceso de peso, el clima frío y los casos graves de cólicos, entre otras. Se puede notar una mayor amplitud del pulso digital en el miembro inferior del caballo. Este es un indicador temprano de laminitis. Otros signos a los que hay que estar atento son el desplazamiento del peso de un pie al otro, la incapacidad o la reticencia a moverse, las extremidades extendidas cuando se está de pie, etc. Si nota alguno de estos signos, llame a un veterinario inmediatamente.

Artritis

La artritis ósea o la enfermedad degenerativa de las articulaciones es una condición bastante común que afecta a los caballos. Es una razón común por la que los caballos tienen que ser retirados o incluso sacrificados. Las articulaciones afectadas por la artritis pueden hincharse y parecer más grandes de lo que se supone que son, lo que causará un dolor serio y hará que el caballo actúe con rigidez. Desafortunadamente, no hay realmente una cura para la artritis. Por lo tanto, es mejor prevenirla por completo en lugar de dejar que suceda. Tomar medidas preventivas tan pronto como sea posible es la mejor manera de mantener la artritis bajo control. Las precauciones básicas a tomar incluyen asegurar que su caballo siempre haga suficiente calentamiento antes de cualquier actividad, evitar las superficies dañinas, duras y desiguales para montar, y vigilar el peso de su caballo, ya que esto puede ejercer mucha presión sobre las articulaciones.

Mala atención dental

Los caballos también pueden sufrir problemas dentales, muchos de los cuales se asocian comúnmente con un cuidado dental deficiente. Un olor fétido de la boca de su caballo es una clara indicación de problemas dentales. Si nota que su caballo se comporta de forma anormal (especialmente durante la alimentación), el problema pueden ser sus dientes. Tomar precauciones y asegurar un cuidado dental adecuado desde una etapa temprana es la mejor manera de prevenir problemas dentales en su caballo más adelante. Programe exámenes orales y dentales anuales para los caballos mayores de cinco años. Si se dejan sin atender, los problemas bucales pueden provocar otros problemas graves para su caballo más adelante.

Problemas de espalda

La espalda de un caballo comprende un complicado sistema de huesos, músculos, nervios y tendones. Es crucial para la comodidad, la actividad y el bienestar general del caballo. Los problemas de espalda son uno de los mayores problemas que se encuentran frecuentemente en los caballos de competición. Si su caballo compite a menudo, es probable que desarrolle problemas de espalda. Para los caballos de competición, una caída repentina en el rendimiento es un indicador probable de problemas de espalda. A menudo, un simple descanso durante unos días debería ser capaz de solucionar el problema y aliviar el dolor de espalda. En casos extremos, debe acudir un veterinario para tratar el problema de la espalda mediante mesoterapia u otras formas de intervención médica. Se pueden administrar inyecciones, espumas o aerosoles para ayudar a relajar los músculos cansados de su caballo y para obtener un efecto fresco y calmante. También se pueden poner refuerzos en su caballo para acelerar la recuperación.

Parásitos de los caballos

Los caballos pueden verse afectados por una amplia gama de parásitos. Pueden ser parásitos internos como los gusanos pulmonares, los ascáridos, los estróngilos, los gusanos filamentosos, las tenias y los oxiuros, o parásitos externos como las garrapatas, los mosquitos, los piojos o la sarna de los caballos. Estos parásitos son organismos causantes o vectores de varias enfermedades comunes de los caballos. Para tratar los parásitos de los caballos, la prevención y el tratamiento deben ir de la mano. Ningún caballo en el mundo evita ser plagado por un tipo de parásito u otro. Los controles regulares a intervalos y los cuidados estacionales o diarios son necesarios para mantener estos parásitos bajo control y prevenir varios problemas de salud que pueden estar asociados con ellos.

La desparasitación regular de los caballos es una forma de tratar con varios parásitos de lombrices. Hable con su veterinario para que le ayude a desarrollar un plan de desparasitación para su caballo. Todos los caballos en sus instalaciones deben ser desparasitados simultáneamente y a intervalos regulares. Se debe apuntar a una sola especie de gusano a la vez para que sea eficaz, y se debe utilizar una dosis correcta de antiparasitario. Los recién llegados a sus instalaciones deben ser puestos en cuarentena y desparasitados antes de que se les permita unirse a los otros caballos en sus instalaciones.

El control ambiental es una forma efectiva de cuidar de los parásitos de insectos en sus instalaciones. Esto implica mantener sus instalaciones limpias y deshacerse de las condiciones que pueden facilitar el desarrollo de los parásitos de insectos. También pueden llevarse a cabo controles de insectos y fumigaciones con insecticidas y pesticidas para eliminar especies específicas de insectos que pueden atacar a los caballos. Como cuidador de caballos, familiarícese con los diversos parásitos de insectos de su zona y aprenda a tratarlos eficazmente y a prevenir las enfermedades que propagan.

Capítulo ocho: El aseo y el cuidado diario de los caballos

Para mantener a su caballo sano y fuerte, el cuidado regular es vital. Usted no está listo para ser propietario de un caballo si no está dispuesto —o no tiene suficiente tiempo— a llevar a cabo las estresantes y potencialmente largas tareas del cuidado de su caballo. Las tareas de cuidado del caballo pueden clasificarse como diarias, semanales, mensuales o estacionales, necesarias para mantener a su caballo sano y feliz. Si se retrasa o no realiza alguna de estas tareas puede hacer que su caballo se quede en el establo de forma insegura e insalubre para los caballos, lo que provoca una amplia gama de problemas de salud.

Tareas diarias básicas

Algunas de las tareas diarias básicas que debe llevar a cabo el propietario de un caballo incluyen:

- Alimentar: Lo ideal sería que su caballo se alimentara con una dieta basada en forraje al menos dos veces o más a lo largo del día, con el tipo de alimento adecuado y la cantidad medida con precisión. Véase en el capítulo anterior las directrices sobre las prácticas de alimentación adecuadas.

☐ Abastecimiento de agua: Su caballo debe tener siempre un suministro saludable de agua disponible. Los caballos necesitan alrededor de 10 galones de agua por día en clima cálido. Más o menos puede ser requerido dependiendo de la actividad y las condiciones climáticas generales.

☐ Limpieza: Limpieza regular de los establos de los caballos, incluyendo la retirada de la cama mojada o sucia del establo y la eliminación de los montones de estiércol de las zonas de los paddocks.

☐ Ejercicio: Los caballos son animales de gran actividad. Necesitan al menos 30 minutos de ejercicio diario.

Esté atento a su caballo y busque cualquier signo de lesión o enfermedad para que pueda ser identificado y tratado inmediatamente.

Tareas semanales

Estas tareas deben realizarse al menos una vez por semana o más veces en una semana, según su horario y las necesidades específicas de su caballo.

☐ Bañar y cepillar la crin, la cola, los cascos y otras partes del cuerpo del caballo.

☐ Limpiar el abrevadero o los cubos de agua.

☐ Varias horas de ejercicio o entrenamiento.

☐ Recorte de mantenimiento.

Otras tareas periódicas

Otras tareas importantes deben ser programadas y llevadas a cabo periódicamente, ya sea en una estación específica, después de un cierto período de tiempo, o según lo requiera su caballo. Estos pasos generales de cuidado preventivo ayudan a prevenir una amplia gama de condiciones y enfermedades prevenibles. Estas incluyen:

☐ Control de plagas y control rutinario de parásitos internos y externos.

☐ Vacunación.

☐ Chequeos dentales y cuidado oral general.

☐ Mantenimiento y control de los refugios para caballos y las cercas.

☐ Lavado profundo de las paredes y el suelo del establo.

Estas son algunas de las actividades que deben llevarse a cabo para mantener sus instalaciones en funcionamiento y mantener la salud y el bienestar de sus caballos. Aunque estas pueden parecer muchas tareas, la mayoría de los propietarios de caballos encuentran estas actividades agradables, incluso terapéuticas. Si el trabajo requerido es mayor que el tiempo que tiene en sus manos, puede considerar la posibilidad de contratar manos adicionales para ayudarle. No críe caballos si no tiene planes para manejar estas responsabilidades.

El aseo de los caballos

El aseo implica una serie de actividades destinadas a cuidar el pelaje, los cascos y el pelo del caballo. Proporciona una oportunidad para crear un vínculo con su caballo. El aseo también le permite mirar de cerca y revisar a su caballo para ver si tiene heridas o signos de irritación. Por lo tanto, es una tarea que debe realizarse regularmente. Lo ideal es cepillar a su caballo diariamente. Sin embargo, incluso si el aseo diario es imposible, debería al menos pasar algún tiempo aseando a su caballo antes de montarlo. Tomarse el tiempo necesario para cepillar a su caballo le ayudará a deshacerse de la arenilla en el lomo. Tener arena debajo de la silla de montar será muy incómodo para su caballo y le producirá llagas.

Herramientas de aseo

Hay varias herramientas que necesitará para el aseo de los caballos. Siempre debe tenerlas disponibles y dispuestas en un refugio conveniente. Algunas herramientas y materiales que necesitará para el aseo de los caballos incluyen:

- ☐ Rasqueta.
- ☐ Cepillo para el cuerpo (con cerdas duras).
- ☐ Peine de cola o de crin (el plástico es preferible al metal).
- ☐ Cepillo de acabado (debe ser suave y fino).
- ☐ Cortadoras o tijeras (no es obligatorio).
- ☐ Limpiacascos.
- ☐ Un paño suave o una esponja limpia.
- ☐ Spray de aseo (no obligatorio).
- ☐ Pomada para cascos (no es obligatoria, pero puede ser recomendada por su herrero).

Puede reunir todas sus herramientas de aseo en un cubo ancho o comprar una caja de aseo para mantenerlas todas organizadas.

Instrucciones para el aseo

Antes de empezar, ate a su caballo de forma segura con un nudo de liberación rápida o con lazos cruzados. A continuación encontrará una guía básica para el aseo de su caballo.

Cómo limpiar los cascos de su caballo

Comience deslizando su mano por la pata delantera izquierda de su caballo y apriete la parte trasera de la pierna a lo largo de los tendones. Instruya a su caballo para que levante las patas diciendo "pezuña", "arriba" o cualquier palabra a la que su caballo responda. Cuando su caballo levante su casco, levántelo y quite cualquier arenilla, suciedad o estiércol que pueda estar alojado en la planta de la pata del caballo. Mientras hace esto, también compruebe si hay lesiones, grasa en el talón o mugre. Preste atención a las grietas en el casco y consulte a un herrador si nota algún problema. Una vez que haya terminado de limpiar e inspeccionar el casco de la pata delantera izquierda, puede repetir lo mismo para las tres patas restantes.

Cómo cepillar su caballo

La próxima tarea será cepillar su caballo. Empezando por el lado izquierdo (offside) de su caballo, use suavemente su guante de cepillado o su rasqueta para aflojar y quitar cualquier suciedad del pelaje del caballo. La rasqueta también ayuda a eliminar cualquier arenilla, barro y otros residuos. Cepille suavemente el pelaje del caballo con barridos circulares sobre el cuerpo del caballo. Tenga mucho cuidado al cepillar las zonas óseas de las caderas, hombros y piernas del caballo. También tenga cuidado al cepillar el vientre y las patas traseras del caballo. Algunos caballos son sensibles a esto y pueden reaccionar violentamente al cepillado riguroso. Si nota que su caballo mueve la cola de forma agitada o que pone las orejas hacia atrás, entonces el cepillado es probablemente demasiado riguroso.

El cepillado es una oportunidad para inspeccionar la piel de su caballo en busca de signos de lesiones, heridas y lesiones cutáneas. Tenga cuidado con ellas mientras cepilla el pelaje de su caballo, y si nota alguna, compruebe la lesión y decida si es algo que puede tratar por su cuenta, o debe invitar al veterinario.

Cómo peinar los enredos

Peinar los enredos de su caballo ayuda a darle una melena fluida y brillante y a darle un aspecto completo y saludable. Para peinar la melena, comience con un cepillo de melena o peine y cepillo en la parte inferior de las hebras de la melena. Cepilla hacia abajo hasta que la melena se desenrede, y podrá peinarla suavemente de arriba a abajo.

Tenga cuidado al hacer esto y colóquese correctamente. Por seguridad, párese a un lado de su caballo y tire de la cola suavemente hacia su lado. De esta manera, usted se mantiene completamente alejado en caso de que su caballo decida patear. Tener un spray de aseo como parte de su colección de aseo es una buena idea. Esto ayuda a desenredar el pelo de manera efectiva y hace que cepillar los hilos de la crin sea mucho más fácil.

Usando el cepillo para el cuerpo

Cuando termine de cepillar, use el cepillo corporal para eliminar la suciedad del cuerpo de su caballo. Un cepillo corporal es un cepillo rígido con cerdas solitarias que le ayudará a deshacerse de la suciedad y la arenilla que se perdió con su rasqueta. Empiece desde un lado de su caballo con suaves golpes hacia el crecimiento del pelo. El cepillo corporal se considera generalmente más efectivo para limpiar partes del cuerpo como las piernas que la rasqueta. Mientras usa el cepillo corporal en su caballo, compruebe si hay signos de irritación de la piel y lesiones en las rodillas y las piernas. Además, tenga cuidado con las pequeñas mellas y cortes, y evalúe la gravedad de las lesiones.

Usando el cepillo de acabado

El cepillo de acabado tiene cerdas más suaves y blandas y ayuda a que el pelaje de su caballo sea suave y brillante. La mayoría de la gente también usa un cepillo de acabado para limpiar la cara de su caballo si no tienen un cepillo específico para eso.

Con el cepillo de acabado, elimina suavemente el polvo que podría haber pasado desapercibido por el cepillo de cuerpo. Utilice suavemente este cepillo para eliminar el polvo de áreas como la garganta, la cara o las orejas del caballo que probablemente no hayan sido tocadas por los otros cepillos. Las cerdas finas y suaves del cepillo de acabado ayudarán a alisar el pelo y a dejar a su caballo con un pelaje brillante y lustroso.

Cuando termine, puede aplicar un spray de aseo. Esto no es obligatorio, pero puede ayudar a dar brillo al pelaje de su caballo y también puede servir como una forma de protección solar. Algunos sprays de aseo pueden hacer que el pelo del caballo sea resbaladizo.

Evite el uso de productos como este en la zona de la silla de montar, especialmente si piensa montar pronto.

Limpieza de las orejas, el hocico, los ojos y la cadera

Cuando termine con el resto del cuerpo de su caballo, es hora de una limpieza más detallada. Usando un paño suave o una esponja húmeda suave, limpie suavemente el área alrededor de los ojos y el hocico de su caballo para deshacerse de cualquier suciedad que pueda estar presente. Hacer esto también le permite observar los ojos de su caballo de cerca y comprobar si hay signos de lesión o infección. Esté atento a síntomas como enrojecimiento, hinchazón o lagrimeo excesivo.

Haga esto en las orejas, pero tenga cuidado. Algunos caballos son quisquillosos con el hecho de que se les manipulen las orejas. Tenga cuidado de no pellizcar o tirar de los pelos cuando los limpie. Con el tiempo y un cuidado especial, a su caballo le puede llegar a encantar que le limpien las orejas.

Capítulo nueve: Cría de caballos

Si cría caballos, una de las principales cosas con las que tendrá que estar familiarizado es la reproducción de los caballos. Aunque algunas partes del proceso de reproducción dependen del veterinario que lo atiende, la eficiencia de una operación de cría de caballos depende en gran medida de su comprensión y manejo del proceso.

La reproducción de caballos tiene como objetivo producir potros sanos después de cada apareamiento exitoso. Hay un proceso elaborado que conduce al parto, y el éxito de la etapa de reproducción depende de su comprensión del rendimiento reproductivo de su yegua y semental. En este capítulo, discutiremos algunos aspectos esenciales de la cría y reproducción de caballos con los que se espera que esté familiarizado como propietario de un caballo. Aunque usted puede simplemente tener un veterinario a cargo o aconsejarle sobre algunos de los procesos de reproducción, será mejor si también tiene algo de la información necesaria para la cría exitosa de caballos. Esto le ayudará a tomar las decisiones correctas y obtener los mejores resultados.

Selección de caballos

Uno de los aspectos más cruciales de la cría de caballos es elegir un caballo para la reproducción. Por lo general, este es uno de los principales factores que determinará el éxito del proceso de reproducción. La probabilidad de conseguir un potro sano y fuerte también está sujeta al proceso de selección de su caballo.

Vale la pena tener la información sobre la progenie de sus caballos, ya que esto ayudará a identificar a los mejores reproductores. Su veterinario puede ayudarle a seleccionar un semental y una yegua sanos para la cría. Cuando esto se hace correctamente, el proceso de cría es probable que dé mejores resultados que lleven a un embarazo exitoso y a un potro sano.

El examen reproductivo de la yegua

Un examen reproductivo es necesario para determinar el estado reproductivo de su yegua. Este proceso implica la palpación rectal y el examen de ultrasonido. En un examen reproductivo, la vagina, el cuello del útero y el vestíbulo de la yegua son examinados por su veterinario para determinar si están en buen estado reproductivo.

Los exámenes reproductivos se hacen mejor en un establo o en la entrada del establo que en un campo abierto. Esto ayuda a mantener al caballo restringido y también proporciona cierto grado de protección al veterinario y al personal que lo manipula. Si su yegua tiene un potro, no deben ser separados, ya que esto solo hará que la yegua se agite y dificulte el examen. Además de tener el caballo debidamente sujeto, también será útil tener una persona más disponible para ayudar al veterinario.

Para evitar la propagación de enfermedades de una yegua a otra, se debe utilizar equipo desechable. La yegua debe ser lavada para eliminar la materia fecal y la suciedad de la vulva antes del examen. Con un examen de ultrasonido, es mejor hacerlo en el interior, lejos de la luz del sol, para que el veterinario pueda leer fácilmente la pantalla del aparato de ultrasonido.

Comprendiendo el ciclo estral de la yegua

Como todos los animales, una yegua pasa por un ciclo de fertilidad mensual en respuesta a las fluctuaciones en la producción de hormonas. Este ciclo reproductivo se completa en unos 21 días. En los caballos, el ciclo reproductivo tiene lugar en dos fases. Hay un ciclo continuo durante el cual la yegua está en celo (o en temporada), que suele durar unos 5 a 7 días. También existe el ciclo de dioestría, que es el período entre los sucesivos períodos de celo, que dura alrededor de 14 a 16 días).

En las yeguas no embarazadas, el ciclo estral se estimula típicamente mediante el aumento de la luz del día. Por lo tanto, coincide con el comienzo de la temporada de primavera. Suele haber una fase de transición que puede persistir durante algunas semanas y que puede caracterizarse por ciclos cortos e irregulares. Sin embargo, después del primer período de ovulación, el ciclo estral se volverá más equilibrado y regular hasta el otoño, cuando la yegua entrará de nuevo en un ciclo anestro, y la ovulación se detendrá.

Los cambios hormonales en la yegua provocan el ciclo estral. Las hormonas producidas durante las diferentes etapas del ciclo estral incluyen la progesterona, la prostaglandina (PG), la hormona luteinizante, el estrógeno y la hormona folículo estimulante (FSH). La producción de estas hormonas determina la progresión del ciclo estral, y algunas son necesarias para el mantenimiento del embarazo.

Manejo de la yegua

La cría de caballos es relativamente ineficiente en comparación con la cría de otros animales domésticos. Generalmente, alrededor del 50 por ciento de las yeguas enviadas a un semental llegan a producir un potro. Este es un proceso enormemente ineficiente y derrochador. Un factor que probablemente afecte el éxito de la cría de caballos es un pobre proceso de selección de yeguas para la cría. Como criador de caballos, usted debe identificar algunas de las posibles razones y factores que contribuyen al despilfarro en la cría de caballos y trabajar en torno a ellas.

Una evaluación efectiva de la fertilidad de las yeguas es importante para el éxito de la cría. Esta práctica se utiliza para determinar si una yegua es apta para el servicio. La evaluación de la fertilidad también ayudará a identificar los factores que pueden contribuir a la reducción de la fertilidad. Se clasificarán las yeguas y se las colocará en orden de prioridad según la probabilidad de éxito del proceso de cría.

Una evaluación adecuada de la fecundidad también garantizará que una yegua se sirva solo cuando esté en período estral, ya que esto le da una mejor oportunidad de concepción. Al final de cada temporada de cría, se debe realizar una inspección veterinaria detallada y una serie de exámenes para sus yeguas. Las yeguas que no conciben deben ser evaluadas e identificar y rectificar los problemas antes del comienzo de la siguiente temporada de cría.

Manejo de sementales

El manejo de un semental depende en gran medida del propósito con el que se cría. Los sementales pueden ser criados para el espectáculo, las carreras o la cría. Esto determinará cómo se manejará el semental en términos de manejo, ejercicio, cuidado de la salud y, por supuesto, evaluación de la fertilidad.

Si está criando su semental para la cría, entonces se requiere una comprensión básica del sistema reproductivo. El sistema reproductivo de un semental consiste en el escroto, los testículos, el pene, las glándulas accesorias, el epidídimo y el cordón espermático. Estos órganos deben estar en condiciones saludables para un semental que se cría para la reproducción.

Provocación del caballo

Una de las etapas esenciales de la cría de caballos es el proceso de provocación. Será casi imposible que su yegua conciba si no tiene un programa de provocación eficiente. La efectividad de este proceso depende en gran medida de lo bien que usted pueda determinar si la yegua está en celo y será receptiva al servicio del semental. Típicamente, una vez que la temporada de cría comienza, usted tiene una ventana estrecha de 5 a 7 días dentro de un ciclo mensual de 21 días. Los restantes 14 a 16 días del ciclo estral son días libres durante los cuales la concepción es improbable.

Aunque algunas yeguas muestran signos de estar en temporada de celo en ausencia de un caballo macho, la mayoría de las yeguas deben ser estimuladas por un semental o potro antes de mostrar que están en celo. Las provocaciones pueden hacerse de varias maneras. Sin embargo, no importa cómo se haga, debe tener un enfoque flexible y sistemático, ya que cada yegua es única, y el mismo enfoque no puede funcionar para todas las yeguas.

Algunas señales de que una yegua está en período estral incluyen:

☐ Aceptar al provocador

☐ Levantar de la cola

☐ Orinar

☐ Guiño

☐ En cuclillas

Si una yegua no está en estral, mostrará los siguientes signos:

☐ Rechazo del provocador

☐ Patear al provocador

☐ Tirar hacia atrás las orejas

☐ Apretar su cola hacia abajo

Interfiriendo en el proceso de cría de caballos

A veces, puede ser necesaria la intervención humana para lograr algún control y mejorar las posibilidades de éxito de un programa de cría de caballos. Esto puede ser en forma de terapia hormonal y programas de iluminación artificial.

Terapia hormonal

La producción de hormonas es uno de los factores críticos que influyen en el proceso de cría de caballos. La terapia hormonal se lleva a cabo generalmente como una forma de manipular yeguas estériles o solteras para mejorar sus posibilidades de concepción. Las yeguas de cría también pueden someterse a la terapia hormonal. Cuando se hace correctamente, la terapia hormonal puede mejorar el rendimiento reproductivo de su yegua de forma bastante significativa.

Mantenimiento de registros

Otro aspecto esencial de un programa de cría de caballos es el mantenimiento de registros. Mantener un registro completo y exhaustivo de sus caballos jugará un papel importante para ayudarle a tomar decisiones educadas sobre las posibilidades de un intento de reproducción. Además del registro de la progenie de cada semental y yegua, también debe llevar un registro de provocación de todas sus yeguas y tenerlo a disposición del veterinario durante la evaluación de la fertilidad de la yegua.

Programas de iluminación artificial

La luz juega un papel importante en el ciclo estral de los caballos. El inicio de la temporada de cría está típicamente determinado por períodos más largos de luz solar. Por lo tanto, un programa de iluminación artificial correctamente implementado puede mejorar el rendimiento de las yeguas, ya que el ciclo de cría está influenciado por los períodos de luz del día. Aumentando la duración de la luz del día con luz artificial, se puede alentar a las yeguas a que entren en la estación antes de lo que normalmente lo harían. La iluminación artificial también puede ayudar a mejorar la productividad en las yeguas de cría.

Ayudas de laboratorio para mejorar el rendimiento reproductivo

Además de simples evaluaciones y pruebas de fertilidad, se pueden realizar varias pruebas de laboratorio para comprender la fertilidad de sus caballos, diagnosticar problemas y tratar cuestiones médicas. Algunas de las pruebas que pueden realizarse incluyen exámenes bacteriológicos, biopsias, citología, ensayos hormonales y exámenes endoscópicos.

Sirviendo a la yegua

Ahora que entiendes los principios básicos de la cría de caballos y los factores que determinan el éxito de un ejercicio de cría, puede proceder con el apareamiento de los caballos. Recuerde que el éxito de esta etapa depende de la eficiencia de su proceso de selección y de la provocación del caballo. Las cuatro formas principales de conseguir que su yegua se preñe incluyen el servicio de mano, el apareamiento en el paddock, la inseminación artificial y la transferencia de embriones.

Capítulo diez: Parto y destete

Una vez que una yegua se ha preñado con éxito, el embarazo dura aproximadamente de 330 a 342 días. Usted debe entender cómo diagnosticar con precisión el embarazo temprano, ya que esto asegurará que usted no devuelva una yegua preñada para su servicio. El embarazo puede ser diagnosticado manualmente, usando un examen ultrasónico, o por una prueba de laboratorio.

Una yegua preñada requiere una buena calidad de cuidados, ya que esto puede influenciar significativamente si la preñez será llevada a término y la salud del potro producido. Los cuidados básicos para una yegua embarazada incluyen:

☐ Provisión de forraje nutritivo

☐ Reducción de la exposición a otros caballos para reducir el riesgo de lesiones y enfermedades

☐ Vacunación y desparasitación

☐ Cuidado adicional por un veterinario

☐ No transporte su yegua durante el embarazo a menos que sea absolutamente necesario.

La concepción de gemelos es típicamente problemática para las yeguas. Esta es una de las razones por las que la detección temprana del embarazo es importante. Se debe realizar un examen de ultrasonido unos 14 a 16 días después de la ovulación, y uno de los embriones debe ser eliminado para permitir que el otro se desarrolle normalmente.

Signos de un nacimiento inminente

Típicamente, el embarazo durará entre 330 y 342 días. Se acerca un nacimiento, hay algunas señales que hay que vigilar los cuales indican que el nacimiento es inminente. Aunque el marco temporal de estas señales varía de una yegua a otra, prepárense para un parto inminente. Algunas de las señales más obvias y confiables a las que hay que estar atentos incluyen:

☐ Hinchazón de la ubre (se produce entre 2 y 4 semanas antes del parto)

☐ Distensión de los pezones (esto ocurre aproximadamente 4 a 6 días antes del parto)

☐ Encerado de los pezones (ocurre de 1 a 4 días antes del parto)

☐ El evidente goteo de leche

☐ Aumento del contenido de calcio de la leche (esto puede ser detectado con un kit de prueba de establo)

Otros signos menos obvios incluyen la relajación de la vulva, cambios en la posición del potro y el ablandamiento de los músculos de la grupa.

Es difícil determinar con precisión el día exacto del parto. Sin embargo, durante la etapa final del embarazo, la yegua comenzará a mostrar algunos signos de parto. Los signos a los que hay que estar atento al comienzo del parto incluyen:

☐ Inquietud

☐ Pararse y recostarse

- ☐ Enroscado del labio superior
- ☐ Desplazamiento de peso y levantamiento de las patas traseras
- ☐ Orinar y defecar con frecuencia
- ☐ Movimiento de la cola

Parto

Cuando una yegua está lista para parir, será ventajoso tener un asistente presente. Por lo general, la yegua tendrá poca o ninguna asistencia. Pero aun así será beneficioso tener a alguien a mano que ofrezca asistencia si es necesario.

Durante el nacimiento, el corioalantois se rompe, y el potro comienza a moverse a través del canal pélvico. El potro debe presentar dos patas delanteras con su nariz descansando entre ellas. Las contracciones uterinas y abdominales lo empujarán hacia afuera, y esto debe tomar unos 10 a 20 minutos.

Normalmente, la yegua debe ser capaz de tener su potro sin ayuda. Si se va a dar asistencia, entonces tiene que ser en la forma de sostener suavemente las patas del potro y dejar que la yegua empuje por sí misma. Se *requiere* la atención de un veterinario solo en casos de presentación anormal del potro.

Cuidado del potro recién nacido

A los 30 minutos de su nacimiento, un potro sano debería ser capaz de ponerse de pie después de algunos intentos fallidos. Una vez que esté firme, buscará las tetillas de la yegua para amamantarse. Esto es algo aleatorio, pero con la suave ayuda de la yegua, el potro eventualmente encontrará la ubre y amamantará por instinto.

A continuación se muestran los comportamientos esperados en las dos primeras horas del nacimiento de un potro:

- ☐ El potro respira (inmediatamente después del nacimiento)
- ☐ Levanta la cabeza (en cinco minutos)

☐ Intenta levantarse en 10 minutos y lo hace con éxito en 55 minutos.

☐ Vocaliza (dentro de 45 minutos)

☐ Defeca (dentro de 30 minutos)

☐ Succiona (Dentro de una hora)

☐ Empieza a caminar o a correr (en 90 minutos)

☐ Duerme una siesta (dentro de las 3 horas)

Entender el comportamiento normal de un potro es esencial para diagnosticar posibles problemas y buscar ayuda si la necesita.

En las primeras semanas de su nacimiento, el potro se amamantará con bastante frecuencia en un rango estimado de una o dos sesiones de 3 minutos en una hora. Con el tiempo, la duración y frecuencia de la lactancia disminuirá, y comerán más otros alimentos. El potro permanecerá cerca de su madre durante las primeras semanas, pero gradualmente explorará su entorno inmediato.

Justo después del parto, lo primero que hay que hacer es asegurarse de que el potro esté respirando. Acérquese a la zona de parto en silencio para comprobar si el potro está respirando y retire el saco de nacimiento de la cabeza del potro si es necesario. Una vez que haya confirmado que el potro está respirando, su trabajo está hecho por el momento. Abandone el área de partos y solo observe a distancia.

Sin embargo, si el potro no respira por sí mismo inmediatamente, puede hacerle cosquillas en la nariz con un trozo de paja o hierba o soplar en su boca. Si esto no funciona, sacuda y frote al potro vigorosamente, apriete sus costillas suavemente, o levántelo del suelo ligeramente y déjelo caer.

No corte el cordón umbilical inmediatamente después del nacimiento. Más bien, espere a que la yegua o el potro lo rompan mientras se mueven. Una vez que el cordón se rompa, añada de 1 a 2% de yodo suave al muñón para secarlo y prevenir una infección bacteriana, que puede llevar a una enfermedad grave o incluso la muerte del potro. Continúe observando este muñón durante unos días para asegurarse de que se cierre, y si no lo hace, llame a un veterinario.

Por lo general, el potro debería ser capaz de mantenerse en pie por sí mismo dentro de una hora de su nacimiento. Los primeros intentos pueden ser infructuosos, pero con el tiempo, el potro se acostumbrará a él y se estabilizará. Deje que el potro se pare por sí mismo, ya que levantarlo sobre sus pies antes de que esté listo puede llevar a una tensión en los tendones y ligamentos.

El potro debe buscar instintivamente la ubre a la hora de nacer. De nuevo, este es un proceso exploratorio al que el potro puede tardar un tiempo en acostumbrarse. Resista el impulso de intervenir, ya que esto puede afectar la unión entre la yegua y el potro. Una intervención será necesaria solo si el potro no se ha amamantado en las dos horas siguientes a su nacimiento —o si nota que la yegua rechaza el intento de amamantamiento del potro.

Ayude suavemente al potro a ponerse de pie y guíelo hacia la ubre. A veces, una yegua con la ubre hinchada o una yegua joven e inexperta con pezones sensibles debe ser sujetada antes de permitir que el potro se amamante. En casos extremos, la yegua puede tener que ser tranquilizada por un veterinario si rechaza continuamente el intento de amamantamiento del potro.

Calostro

La primera forma de fluido producida por la yegua inmediatamente después del nacimiento del potro se conoce como calostro. Esta leche contiene anticuerpos para la protección contra enfermedades y otros nutrientes esenciales. Por lo tanto, es vital que su potrillo reciba calostro poco después de nacer. La habilidad del potro para absorber estos anticuerpos esenciales se reducirá drásticamente después de 12 horas de nacido. Asegúrese de que su potrillo se amamante de la madre dentro de este tiempo.

Puede aumentar el número de anticuerpos presentes en el calostro de la yegua vacunándola unos 30 días antes del parto. Si esto no se hace, entonces tiene que vacunar al potro contra el tétanos al nacer. Esto ayudará a proteger al potro durante dos o tres semanas mientras se cura el muñón umbilical.

El calostro también tiene efectos laxantes, y ayudará al potro a pasar el excremento fetal (también conocido como meconio) poco después de tomarlo (normalmente en cuatro horas). Puede producirse estreñimiento si el potro no puede defecar en el tiempo estipulado.

Problemas comunes de salud de los potros

Diarrea: es un problema poco común en los potros y puede indicar una condición subyacente más seria. Los casos graves de diarrea por chorros pueden causar deshidratación, debilidad o incluso la muerte de un potro recién nacido. Los potros mayores (de una o dos semanas de edad) pueden experimentar casos leves de diarrea. La insolación de los potros también puede causar diarrea. Esto es causado por un parásito conocido como Strongyloides westeri, que puede ser transmitido de una madre infectada a un potro a través de la leche materna. Para un potro sano, un caso leve de insolación de potro raramente causa daños graves. Sin embargo, si nota que el potro está deshidratado o débil, entonces debe llamar a un veterinario inmediatamente.

Debilidad y deformidades de las extremidades: los potros pueden nacer con deformidades en las extremidades como piernas torcidas, nudillos, pastillas débiles y debilidad general de las extremidades. Aunque la mayoría de estas condiciones probablemente se corregirán a medida que crezca, puede llamar a un veterinario para que lo revise solo para estar seguro y recomendar un tratamiento si es necesario.

Hernias: las hernias son defectos en la pared del cuerpo, lo que lleva a la extrusión de parte del intestino del caballo bajo su piel. Este defecto puede ocurrir alrededor del área escrotal o naval del caballo.

Los casos leves de hernia se autocorrigen; en los casos graves puede ser necesaria la cirugía.

Entropión: se refiere a una condición en la que el potro nace con los párpados y las pestañas mal puestas. Esto puede causar lagrimeo o irritación. A menudo, es posible enrollar el párpado afectado con las manos. Pero a veces, puede ser necesario un tratamiento ocular especial para corregir el defecto.

Potro con ictericia

La ictericia es una rara condición causada por una incompatibilidad en el grupo sanguíneo de la yegua y el potro que lleva a la formación de anticuerpos en la leche materna de la yegua. Cuando el potro se amamanta, estos anticuerpos pueden pasar a su cuerpo, y esto puede tener efectos debilitantes —e incluso puede ser fatal sin un tratamiento rápido. Llame a un veterinario para que le ayude inmediatamente si sospecha que el potro puede tener ictericia. Además, interrumpa la lactancia de su madre hasta que se le administre el tratamiento.

Cuidado de los potros huérfanos

En el desafortunado caso de que una yegua muera después de parir (o debido al rechazo materno), un potro puede requerir cuidados extra de usted. Los potros huérfanos aún pueden ser criados con éxito cuando usted sabe qué hacer. En ausencia de una madre, una de las primeras cosas que hay que hacer es asegurarse de que el potro reciba el calostro poco después de su nacimiento. Puede comprar calostro congelado en una granja de cría o con un veterinario cerca de usted. Descongele la leche congelada (no la caliente ni la ponga en el microondas) y alimente a su potrillo con ella. Un veterinario también puede administrar calostro oral o realizar una transfusión de plasma como reemplazo del calostro regular.

La forma más fácil de cuidar a un potro huérfano es transferirla a una yegua lactante. Pero debe disfrazar al potro usando cualquier líquido de olor fuerte como el whisky, la leche, la orina o el aceite de linaza. También puede tener que restringir o tranquilizar a la yegua hasta que acepte voluntariamente al potro huérfano. Una alternativa es permitir que el potro se amamante con leche de cabra, aunque será difícil encontrar cabras que puedan producir suficiente leche para satisfacer las necesidades nutricionales de un potro. Alimentar al potro con biberón es la mejor alternativa si las otras opciones no están disponibles. Puede encontrar leche de reemplazo de yegua nutricionalmente balanceada en las tiendas de alimentación y alimentar a su potrillo.

Si alimenta a un potro huérfano con biberón o cubo, intente presentarlo pronto a otros caballos para que aprenda un comportamiento equino normal y no se encariñe con usted. Puede colocar a su potrillo huérfano junto a un castrado tranquilo o simplemente en un corral si se puede confiar en que el caballo mayor no le hará daño al potrillo.

Antes de ver cómo destetar a un potro, aquí hay una lista de las cosas que debe hacer justo después del nacimiento:

1. Asegurarse de que el potro está respirando.

2. Poner yodo en el muñón del cordón umbilical.

3. Asegurarse de que el potro reciba calostro lo antes posible.

4. Poner al potro la vacuna antitetánica si no hay calostro disponible de inmediato.

5. Asegurarse de que el potro pase el meconio y tratar la diarrea si la hay.

6. Revisar el muñón umbilical para asegurarse de que se cierra.

7. Revisar continuamente al potro durante varios días para detectar signos de infección y llamar a un veterinario inmediatamente, si es necesario.

Destete del caballo

En los primeros meses de su vida, un potro pasará la mayor parte de su vida cerca de su madre y dependerá totalmente de la yegua para su alimentación. Al final del tercer mes, solo el 60% de su tiempo lo pasará con la yegua. La producción de leche en la yegua continuará típicamente hasta que el potro tenga de cinco a siete meses de edad. En este punto, el 70% de los nutrientes del potro vendrán de fuentes no lácteas. En esta etapa (alrededor de cinco meses), debe comenzar a planear el destete de su caballo. Aquí hay una lista de cosas que hay que hacer:

1. Aumentar gradualmente la ración de alimento del potro durante un período de dos a tres semanas.

2. Aunque la leche de la madre comenzará a perder su valor nutritivo a los tres meses, puede reducir aún más la producción de leche reduciendo la ración de alimento de la yegua.

3. Vigile a su potrillo de cerca durante el período de destete. No destete al potrillo si está enfermo o no prospera bien, si todavía está unido a su madre, o si no come lo suficiente de la ración de comida.

4. Su potro tiene que usar ronzal para que el destete sea exitoso.

El destete de un potro puede hacerse gradualmente o abruptamente, dependiendo de factores como el temperamento de la yegua, las instalaciones de las que disponga y la presencia de otros caballos.

Capítulo Once: Entrenamiento básico del caballo

Uno de los aspectos más interesantes de la cría de caballos es el entrenamiento de los mismos. Puede ser un desafío, especialmente para un principiante. El entrenamiento de caballos (especialmente para los caballos jóvenes) es mejor dejarlo en manos de entrenadores experimentados, ya que los caballos jóvenes tienden a ser impredecibles, y se necesitan las habilidades y la experiencia adecuadas para manejarlos.

Este entrenamiento requiere tiempo y paciencia, y también se trata de crear un vínculo con el caballo; aun así, es una experiencia gratificante. A medida que entrena a su caballo para hacer algo nuevo, usted también aprende algo. ¡No es todo ese estilo de doma de caballos vaqueros que se ve en las películas del viejo oeste!

El entrenamiento básico de un caballo consiste en enseñar a montarlo de la *manera correcta*, y no es tan peligroso como se suele representar. No se puede apurar; tampoco puede entrenar a su caballo todas las habilidades que necesita para aprender de una sola vez. A continuación, encontrará los pasos sencillos del entrenamiento básico de caballos.

Tómese su tiempo para crear un vínculo

El primer paso, y quizás el más importante, del entrenamiento básico de un caballo: tomarse el tiempo para crear un vínculo con su caballo. Si un caballo no se siente cómodo a su alrededor o no confía lo suficiente en usted, será difícil, si no imposible, enseñarle algo. Necesita darle tiempo a su caballo para que se acostumbre a usted para una comunicación efectiva entre ambos. Construir un vínculo con su caballo implica pasar tiempo con él, crear una asociación positiva y aprender cómo se comunica con usted.

Pase más tiempo con su caballo

Para desarrollar un vínculo sólido con su caballo y entrenarlo eficazmente, debe pasar más tiempo con él. Los caballos aprenden mejor con la rutina y la repetición. Cuanto más tiempo dedique a la vinculación, más probable es que el caballo se sienta cómodo a su alrededor. Pasa más tiempo con su caballo cuando lo cepilla, lo baña o le trenza la crin. También puede pasear a su caballo a mano por su propiedad.

Creación de asociaciones positivas

Para entrenar a su caballo, tiene que enseñarle a asociar su presencia con la positividad. Si su caballo está siempre agitado en su presencia, no podrá enseñarle nada. Al comienzo del entrenamiento, comience con actividades de bajo estrés y placenteras. Esto ayudará al caballo a asociar su presencia con una sensación de calma. Mantener una actitud positiva y recompensar a su caballo cuando hace bien las cosas más pequeñas ayudará a asociar el entrenamiento con la positividad.

La mayoría de los entrenadores de caballos cambian subconscientemente al modo de entrenamiento cuando instintivamente exigen demasiado a su caballo. Al hacer esto, no solo se estresa al caballo, sino que tampoco se le permite disfrutar de su presencia. El enfoque debe ser el construir una relación con el caballo en lugar de simplemente entrenarlo para que haga su voluntad. Tanto usted como su caballo se frustrarán si hace esto.

Aprenda cómo se comunica su caballo

Tomarse el tiempo para vincularse con su caballo le ayudará a aprender más sobre su caballo y cómo se comunica. No se trata de decirle a su caballo lo que tiene que hacer. A medida que se comunica con su caballo, este se comunicará de nuevo, y usted debe aprender a tener cuidado con estas señales. Cada caballo es único, por lo que incluso un entrenador de caballos experimentado aprenderá cosas nuevas cuando entrene a un caballo nuevo.

Aprender sobre su caballo implica sus gustos y disgustos, lo que le teme y lo que le anima a aprender mejor. Hacer esto le ayudará a aprender a manejar a su caballo de la manera correcta.

El tiempo que llevará todo este proceso (de acostumbrarse a su caballo) depende de varios factores. Su compromiso con el entrenamiento y la personalidad del caballo afectará la rapidez con la que usted pueda crear un vínculo y comenzar a montar y entrenar a su caballo.

Trabajo de campo del entrenamiento de caballos

La base de cualquier rutina de entrenamiento de caballos es el trabajo preliminar. Esto básicamente se refiere al arte de entrenar a su caballo *en el terrero.* Hay un dicho popular entre los entusiastas de los caballos que dice: “Lo que no puedas hacer con tu caballo en el terreno, no podrá hacerlo contigo en la silla de montar”.

El trabajo de base del entrenamiento de caballos implica varios ejercicios y entrenamientos simples que incluyen:

- ☐ Entrenar a su caballo para que se quede quieto
- ☐ Flexión
- ☐ Dirigir correctamente su caballo

- ☐ Amansado
- ☐ Conseguir que su caballo se mueva en un círculo
- ☐ Movimiento básico (movimientos posteriores y de hombro)

Aunque puede ser tentador saltar este paso y pasar directamente al entrenamiento de la silla de montar, no se recomienda. El trabajo de base es el primer lugar para empezar a introducir un nuevo entrenamiento a su caballo.

Parado

Una de las cosas básicas para las que tiene que entrenar a su caballo es para que se quede quieto. Cuando entrena a su caballo para que se quede quieto, puede prestarle atención mientras se entrena y mirarle para la siguiente instrucción.

Cómo hacerlo: Ponga al caballo en un cabestro y guíelo, luego párese de frente al caballo mientras sostiene la rienda. Deje que la correa se afloje y permanezca quieta. Agite la rienda cada vez que el caballo salga de su posición original. Si el caballo no retrocede inmediatamente, agite la cuerda con más fuerza hasta que reciba el mensaje y responda. Con un entrenamiento continuo, su caballo debe aprender a retroceder cuando sacuda la cuerda, ya que se da cuenta de que caminar está mal.

Dirigiendo correctamente

Aunque dirigir un caballo es una tarea bastante simple, un caballo no entrenado tendrá problemas para hacerlo. Dirigir su caballo correctamente ayudará a establecer que usted es el que está a cargo. Necesitará una rienda para este ejercicio. También será necesario un látigo de embestida.

Cómo hacerlo: La posición correcta para guiar a su caballo es a la altura del codo. El caballo debe caminar detrás de usted por el lado en el que usted lo está guiando. Si el caballo se está quedando atrás, puede animarlo a mantener el ritmo simplemente agitando el látigo de embestida detrás de usted. Si el caballo está siendo agresivo y trata de caminar delante de usted, deténgase inmediatamente y haga que el caballo retroceda. Repita esto tantas veces como sea necesario hasta que el caballo aprenda a responder correctamente.

Flexión

Un caballo se flexiona cuando dobla el cuello a ambos lados. Este ejercicio entrena a su caballo para responder cuando se aplica presión en las riendas. Al final del entrenamiento de flexión, su caballo debe girar su cuello para que su nariz toque sus hombros derechos o izquierdos.

Cómo hacerlo: Agarre la rienda y lleve su mano a la cruz del caballo. Aplique un poco de presión en la cuerda. Su caballo debe doblar su cuello hacia la fuente de la presión. E incluso cuando lo haga, puede necesitar más tiempo y entrenamiento para conseguir que doble su cuello hasta que no sienta más presión en la rienda y la presión en la cuerda se libere. Recompense a su caballo una vez que esto se haya completado. Repita el ejercicio para el otro lado.

Amansado

El objetivo de este simulacro es hacer que su caballo baje la cabeza cuando aplique presión a su rienda. Esto ayudará a su caballo a aceptar un poco más convenientemente más tarde. También entrenará a su caballo a responder a la presión sobre la broca.

Cómo hacerlo: Para este ejercicio, agarre la base de la rienda del caballo, y aplique algo de presión para tirar de ella hacia el suelo. Su caballo debe responder bajando la cabeza. Si no lo hace de inmediato, mantenga una presión constante en la cuerda y suéltela tan pronto como el caballo baje la cabeza, aunque sea un poco.

Desensibilización de su caballo

Además del trabajo de campo, otro aspecto del entrenamiento de su caballo es desensibilizarlo. Esto implica acostumbrar a su caballo a ciertas cosas a las que normalmente no está acostumbrado. A lo largo de su vida, su caballo debe familiarizarse con cosas que de otra manera no le son familiares, como tener una silla de montar en su espalda o tener a alguien sentado en su silla. Un caballo no entrenado reaccionará de forma extraña. La desensibilización ayuda a crear confianza en su caballo y prepararlo para la presión y alguna forma de incomodidad, por lo que no reaccionará de forma extraña en ciertas situaciones.

Desensibilizar su caballo a una silla de montar

Hay muchas cosas a las que tiene que insensibilizar a su caballo, pero lo primero de la lista es la silla de montar. Sin entrenamiento, el primer instinto de su caballo cuando le ponga una silla de montar será huir. El entrenamiento de la silla de montar hará que su animal sea más confiado y esté mejor preparado para ensillar por primera vez.

El objetivo de este ejercicio es preparar a su caballo para que se le coloquen cosas en su espalda, alrededor de su estómago o tocando sus lados. Para desensibilizar a su caballo a las sillas de montar, necesitará una alfombrilla, lonas o bolsas de plástico.

Una forma de preparar a su caballo es frotar estos materiales por todo el cuerpo del caballo. Esto ayudará a preparar a su caballo para cuando la montura se coloque en él. Cuando frote a su caballo con estos materiales, si intenta alejarse, simplemente deténgase y sostenga el material sobre su cuerpo hasta que deje de moverse.

También tendrá que desensibilizar al caballo a la presión. Una silla de montar aplicará presión a los lados y al dorso del caballo. Debería empezar a acostumbrar al caballo a esta presión antes de empezar a montarlo. Otras partes del cuerpo del caballo donde se usará el equipo como las piernas y la cara, deben ser desensibilizadas a la presión. Deje que su caballo se acostumbre a tener una brida y el bocado, para que el caballo se familiarice con lo que se siente.

Poniendo la silla de montar

Una vez que su caballo haya sido entrenado e insensibilizado, puede ponerse la silla de montar. Recuerde que poner la silla de montar es todavía una nueva experiencia, por lo que su caballo todavía puede frustrarse y reaccionar de forma impredecible. El entrenamiento de la silla de montar de su caballo le ayuda a sentirse cómodo teniendo una silla de montar en su espalda.

La repetición es una de las formas más eficaces de acostumbrar a su caballo a la silla de montar. Practique poner la silla de montar y tirar de ella repetidamente. Repita esto tan a menudo como necesite dejar la silla de montar por más tiempo cada vez. Con el tiempo, debería ser capaz de dejar que el caballo se mueva alrededor del corral con los estribos a su lado durante un tiempo antes de tirar de él de nuevo.

Practique lanzando la silla sobre el lomo de su caballo desde ambos lados. Esto asegurará que el caballo se sienta completamente cómodo con la silla lanzada desde cualquier lado.

La parte más difícil de familiarizar a su caballo con la silla es fijar la cincha. Una vez que su caballo muestra que se siente cómodo con tener la silla de montar en su espalda, ahora puede adjuntar suavemente la circunferencia a la silla de montar en uno de sus lados. Pero no la deje colgando de un lado, ya que esto puede poner nervioso al caballo.

Para evitarlo, coloque la cincha en un lado y luego gradualmente frote el otro extremo de la cincha sobre el vientre y las piernas del caballo. Mueva la cincha hacia adelante y hacia atrás bajo el vientre del caballo hasta que se sienta cómodo. Entonces puede proceder al otro lado del caballo y tirar de la cincha y apretarla correctamente. Una vez que haya podido hacer esto, deshaga la cincha y deje que caiga de nuevo al costado del caballo. Repita esta acción hasta que su caballo se acostumbre. Algunas personas solo aprietan la cincha y dejan que su caballo se agache para desgastarse. *Esta no es una buena práctica.*

Desensibilizar a su caballo para tener peso en la silla

Una vez que su caballo se ha acostumbrado a tener una silla de montar en su espalda, el siguiente paso es acostumbrarlo a que se le añada peso. Esto preparará a su caballo para un eventual paseo, que es el objetivo final.

No puede simplemente proceder a sentarse en el lomo de un caballo no entrenado. Necesita acostumbrarlo pacientemente a tener peso en su espalda. Una vez que tenga la silla de montar en la espalda de su caballo, puede comenzar la desensibilización del peso poniendo su brazo suavemente sobre la espalda de su caballo para imitar la sensación de tener peso en su espalda.

También puede intentar saltar al lado del caballo como si estuviera a punto de montar, pero no lo hace todavía. Hágalo suavemente, y de una manera relajada y juguetona, para que su caballo no se sienta amenazado y salga corriendo. A continuación, puede intentar acostarse sobre el lomo del caballo sobre su vientre. Esta posición es genial, ya que también le permite bajarse del caballo rápidamente si lo necesita.

Ahora puede sentarse en su caballo. Pero hágalo con cuidado. Como precaución, dirija la nariz de su caballo hacia usted mientras intenta montar, para que no se asuste. Para empezar, coloque un pie en el estribo y ponga algo de su peso en él sin balancear su pierna sobre el lomo del caballo todavía. Si su caballo parece tranquilo, entonces proceda a pararse en el estribo. Espere a que su caballo se ajuste antes de balancear su pierna para sentarse en la silla.

Debería sentarse por unos segundos, y luego desmontar. Hágalo repetidamente mientras aumenta gradualmente el tiempo para no abrumar a su caballo. Por último, cuando su caballo se sienta cómodo con que usted se siente en la silla, usted tiene que entrenar para familiarizarse con la aplicación de la presión bajo la silla (que es crucial para montarlo). Esta es la etapa en la que verá todos los beneficios de un buen trabajo de base. También tendrá que entrenar a su caballo para que se familiarice con varios tipos de movimiento en la silla de montar, para que no se asuste con ningún movimiento leve.

Sea paciente y recompense los intentos más pequeños

A lo largo de todo el proceso de entrenamiento de su caballo, sea paciente. No querrá apresurar a su caballo en los procesos. A lo largo de su entrenamiento, recompense a su caballo por el más mínimo intento, especialmente cuando empiece a montar. Usted quiere que su caballo asocie una acción con una recompensa positiva.

No presione demasiado a su caballo ni le pida demasiado, especialmente si el caballo está recién entrenado. El caballo podría tener dificultades para entender lo que usted está tratando de hacer. Pero si muestra alguna señal positiva, recompensarlo le permitirá aprender que esa fue la respuesta correcta. Entrenar un caballo es simple y divertido. Tiene que entender solo las acciones y reacciones de su caballo y averiguar cómo usar su entrenamiento de manera efectiva. Si usted es nuevo en el entrenamiento de caballos, puede conseguir que alguien más entrene a su caballo o tener un entrenador profesional al que pueda pedir ayuda en cada paso del camino.

Capítulo Doce: Entrenamiento de caballos de atletismo y de espectáculo

Los caballos se mantienen por una amplia gama de razones. Para la mayoría de los caballos, el entrenamiento básico es suficiente. Pero si usted cría a sus caballos para fines especiales como carreras o espectáculos, entonces su caballo necesitará entrenamiento adicional. No podemos cubrir completamente todo el entrenamiento de los caballos en este libro, pero este capítulo le llevará a través de los fundamentos del entrenamiento de caballos para fines deportivos y espectáculos.

Entrenamiento de caballos para carreras

Antes de entrenar y acondicionar su caballo como perspectiva de carrera, primero debe evaluarlo objetivamente. Esto implica tanto evaluaciones físicas del andar y la estructura del caballo como evaluaciones psicológicas de su actitud. ¿Está su caballo lo suficientemente bien formado para manejar el estrés de moverse a gran velocidad? ¿Podrá su dulce potrillo, fácilmente empujado por otros caballos, convertirse en un caballo de carreras de primera clase?

No hay una forma segura de saberlo, pero una observación y evaluación objetivas le guiarán en la elección del caballo a entrenar.

Una vez que haya evaluado cuidadosamente su elección del caballo a entrenar, puede acondicionar su caballo para las carreras. Hay múltiples factores a considerar en lo que respecta al entrenamiento de caballos de carreras. Esto incluye el acondicionamiento respiratorio (acondicionamiento aeróbico y anaeróbico) y el acondicionamiento físico —o entrenamiento físico.

Acondicionamiento aeróbico

Los caballos dependen de la respiración aeróbica y anaeróbica durante la actividad física rigurosa. La respiración aeróbica se refiere a la respiración regular en estado de reposo o durante actividades de baja energía. A medida que aumenta el rigor de la actividad física, el caballo pasará de la respiración aeróbica a la anaeróbica. La importancia del acondicionamiento aeróbico es retrasar el tiempo que el caballo puede depender de la respiración aeróbica antes de que necesite cambiar a fuentes de energía anaeróbica. El acondicionamiento aeróbico también ayuda a acortar el tiempo de recuperación después de una carrera o un entrenamiento.

El principal ejercicio que implica el acondicionamiento aeróbico es un trabajo lento y de larga distancia. Esta es una forma ideal de comenzar el acondicionamiento aeróbico de su caballo o de ponerlo nuevamente en forma después de un largo período fuera del entrenamiento. Los ejercicios aeróbicos consisten básicamente en rutinas de caminata y trote, y algunos ejercicios de galope.

En el entrenamiento aeróbico, el caballo puede galopear durante unos minutos, y luego se le permite recuperarse caminando o trotando. Cuanto más largo es el entrenamiento, más tiempo de recuperación se requiere. La cantidad de sesiones que el caballo tomará por día depende de la respuesta del caballo y de su progresión deseada.

Durante los entrenamientos aeróbicos, rastree el ritmo cardíaco de su caballo; puede hacerlo manualmente o simplemente usar un monitor de ritmo cardíaco para esto. El ritmo cardíaco normal en reposo suele ser de unos 40 latidos por minuto. Mientras camina o trota, el ritmo cardíaco puede elevarse a alrededor de 80 a 140. Se debe apuntar a una frecuencia cardíaca de entre 150 y 160 por minuto (o menos).

Dependiendo de factores como la edad, la condición y la tasa de respuesta, este período inicial de acondicionamiento aeróbico puede durar entre seis y ocho semanas o más antes de pasar a los ejercicios intensos y al entrenamiento para carreras. En el caso de los caballos que se entrenan para espectáculos, el trabajo de habilidad se introduce después de que se haya completado el período de acondicionamiento aeróbico.

Acondicionamiento anaeróbico

Los caballos dependen de la respiración anaeróbica y aeróbica para actividades de alta potencia como las carreras. Los caballos suelen pasar de la respiración aeróbica a la anaeróbica cuando su ritmo cardíaco supera los 150 latidos por minuto.

Se requieren ejercicios de sprint o breezing para mejorar la capacidad anaeróbica de su caballo. Estos ejercicios también sirven para mejorar la estructura y la fuerza de los huesos. El acondicionamiento anaeróbico de los caballos puede ejecutarse de dos maneras. Puede aumentar la velocidad del caballo en una distancia corta o aumentar la distancia de entrenamiento que tiene que cubrir y gradualmente empujar para obtener más velocidad.

Los caballos no deben ser empujados para obtener la máxima capacidad de velocidad durante un entrenamiento. De hecho, su caballo solo necesita ir a un 70 u 80% de su velocidad máxima durante todos los entrenamientos; lo mismo ocurre con la distancia de la carrera. Esto es importante para evitar abrumar y sobrecargar a su caballo.

La mayoría de los entrenadores siguen un plan de "entrenamiento a intervalos". Esto implica entrenar dos días a la semana con el caballo haciendo múltiples sprints cortos cada día con períodos de descanso entre esos sprints. Se espera que el caballo alcance un ritmo cardíaco máximo de 200 a 250 por minuto durante este entrenamiento.

Un caballo que practica el sprint debe ser observado de cerca y evaluado para detectar signos de dificultad respiratoria, dolor óseo o muscular u otros problemas, y el entrenamiento debe ser interrumpido para permitir que el caballo se recupere si se observa alguno de estos.

Preste atención al peso y la dieta de su caballo

Durante estas rutinas de entrenamiento respiratorio, debe evaluar la condición física de su caballo. Un caballo con sobrepeso debe perder peso durante su entrenamiento, y usted debe concentrarse en las rutinas que lo hacen posible. Del mismo modo, si su caballo tiene un peso inferior al normal, debe aumentar su ración de comida, especialmente con alimentos grasos. Sin embargo, la grasa debe introducirse lentamente para evitar efectos adversos en la digestión de su caballo. La dieta de un caballo en entrenamiento también debe contener minerales y vitaminas, y tener acceso a agua limpia y fresca en todo momento.

Entrenamiento de caballos para espectáculos

Si usted está entrenando para espectáculos, su caballo necesita aprender trucos específicos. Muchas competiciones de espectáculo son para mostrar la habilidad de un entrenador para realizar habilidades con el caballo. Sin embargo, no importa la habilidad del entrenador, solo un caballo bien entrenado puede realizar los intrincados movimientos que ganan los espectáculos.

El entrenamiento de espectáculo también ofrece beneficios adicionales, incluso fuera de la pista. El entrenamiento básico del espectáculo mejorará los modales y el respeto del caballo. También mejorará su habilidad para mantener el control sobre su ritmo y posición. Algunas habilidades también pueden ser útiles para los escenarios de la vida real.

Entrenamiento básico de caballos para espectáculos

Hay seis maniobras principales que implican un entrenamiento básico de espectáculos. Puede enseñar a su caballo estas maniobras básicas, y estas técnicas pueden combinarse de diferentes maneras y servir como base para técnicas más avanzadas.

- ☐ Liderando en un paseo
- ☐ Retroceder
- ☐ Liderando en un trote
- ☐ Pivotando
- ☐ Detenerse
- ☐ Prepararse

Antes de describir estas maniobras con mayor detalle, debe entender cosas básicas sobre el entrenamiento de su caballo para realizar estas habilidades. Para entrenar estas maniobras, se aplica presión en una rienda. También dirige a su caballo con la presión de su propio cuerpo a veces. Recompense cada respuesta correcta liberando la presión y haciendo una breve pausa antes de dar a su caballo la orden para otra maniobra.

Algunos movimientos corporales exagerados o señales verbales pueden ser necesarios en el entrenamiento, especialmente para los principiantes. Sin embargo, a medida que su caballo progresa, usted debe refinar o ajustar estas señales hasta que sean virtualmente inexistentes o sutiles como estas señales y entrenar a su caballo para que se adapte y siga las instrucciones sin ellas.

Tenga en cuenta que el progreso en el entrenamiento del caballo es lento y constante. Es posible que su caballo no produzca los resultados que usted desea de la manera correcta, pero considere cualquier aproximación cercana a lo que usted desea como una respuesta deseada y recompense en consecuencia.

Liderando en un paseo

Objetivo: Este ejercicio tiene como objetivo entrenar a su caballo a conducir con calma al mismo ritmo que usted se mueve mientras mantiene su cuerpo en línea recta.

Cómo hacerlo: La posición inicial de este ejercicio es de manera que el offside de su caballo se coloca cerca de una valla o barandilla para alinear su movimiento. El entrenador debe posicionarse entre la parte media del cuello del caballo y su garganta. Empiece con un paseo rápido sin mover los brazos. Incline sus hombros en dirección hacia adelante para servir como un comando visual para un movimiento hacia adelante para su caballo. Además, aplique algo de presión en la cadena para que el caballo le siga mientras se mueve.

Liderando en un trote

Objetivo: Este ejercicio entrena a su caballo para que se ponga al trote o corra cuando usted empiece a correr, todo ello manteniendo su cuerpo recto.

Cómo hacerlo: La posición de partida de este simulacro es la misma que la de los anteriores. Comience con una caminata con el codo colocado de lado y la mano de plomo anclada. Con el cuerpo inclinado hacia delante, dé un paso adelante y empiece a trotar o correr. Mantenga el codo y la mano guía firmes mientras corre. Si el caballo responde en consecuencia y puede ajustar su ritmo al suyo, alivie un poco la presión en la cadena. También puede volver a una breve caminata después de unos segundos de trotar o correr. Si no sale a trotar como se espera, puede que tenga que usar indicaciones verbales.

Detenerse

Objetivo: El objetivo de este entrenamiento es conseguir que su caballo se detenga de forma equilibrada y suave y con su cuerpo recto y correctamente alineado.

Cómo hacerlo: Mantener la misma posición de partida que en el entrenamiento anterior y comenzar con una caminata. Mientras su caballo camina con usted, dé una orden de parada suavemente, como "whoa". Quédese quieto inmediatamente mientras da esta orden. Esta señal verbal ayudará a su caballo a asociar la orden con la acción. Al principio, su caballo puede pasar un poco más allá de usted, pero dejará de moverse cuando la cuerda se apriete contra su barbilla. Después de un tiempo, su caballo debería ser capaz de responder a la orden de parada. Cuando lo haga, recompénselo liberando la presión de la cuerda. Repita la orden tantas veces como sea posible hasta que su caballo se acostumbre a ella. Con el tiempo, debería ser capaz de eliminar por completo la señal verbal.

Retroceder

Objetivo: Este entrenamiento tiene como objetivo que su caballo retroceda suave y tranquilamente y con su cuerpo bien alineado cuando se le dé una orden.

Cómo hacerlo: Comenzar este entrenamiento en la posición de líder descrita anteriormente. Gire su cuerpo en la dirección opuesta (ahora debe estar de cara a la parte trasera del caballo). Alinéese con su brazo u hombro a nivel del hocico del caballo. Mientras todavía sujeta la rienda, dé un paso hacia delante (utilice primero su pierna izquierda) y aplique una presión hacia atrás sobre la cadena. Con este movimiento, debería invadir el espacio de su caballo. Este entrenamiento es para que su caballo dé un paso atrás cuando haga esto. Por lo general, el caballo solo moverá una de sus patas para apartarse. Con el tiempo, debería ajustarse completamente y retroceder adecuadamente con ambas piernas.

Preparación

Objetivo: El objetivo de este ejercicio es entrenar a su caballo para que se ponga en pie con las piernas debajo de él. Su caballo aprenderá a mantener esta posición hasta que le dé otra orden.

Cómo hacerlo: Estas técnicas pueden ser enseñadas de varias maneras, por lo que el método que describiremos aquí es solo una de las muchas maneras en que puede hacerse. Comience este entrenamiento en la posición de parada descrita anteriormente, luego gire para mirar al caballo. En esta posición, colóquese del lado izquierdo de la cabeza del caballo. Sostenga la rienda cerca de la unión de la cadena y las partes de cuero.

El primer paso es controlar el movimiento de las patas de su caballo. Empiece haciendo que el caballo mueva su pata trasera izquierda cerca de la derecha. Puede controlar el caballo para que empuje su pata hacia adelante o hacia atrás, dependiendo de la posición inicial de la pata derecha con respecto a la izquierda. Tire de la cuerda hasta que consiga que el caballo responda adecuadamente. Recompense una respuesta correcta con una liberación de presión.

Pivotando

Objetivo: Este entrenamiento tiene como objetivo que su caballo se ancle en el lugar de su pata trasera derecha. El caballo girará alrededor de esa pata cruzando su pierna izquierda con la derecha.

Cómo hacerlo: Empiece mirando al lado izquierdo de su caballo y colóquese justo al otro lado de la garganta. Con su mano izquierda, sostenga la caña en el punto donde la cadena y el cuero se unen. Para iniciar el movimiento, aplique una ligera presión hacia adelante a la cadena y dé un paso adelante con su pierna derecha. Esto animará a su caballo a dar un paso adelante con su pierna izquierda delante de la derecha. Levante la mano ligeramente para golpear al caballo en su hombro izquierdo. Esta señal y el lenguaje corporal deben hacer que el caballo mueva sus piernas y hombros en la dirección correcta.

Entrene un paso cada vez hasta que su caballo pueda completar un giro completo de 360 grados.

Más allá de estos fundamentos, su caballo debe aprender maniobras más avanzadas que no pueden ser cubiertas en este libro, especialmente si tiene la intención de entrar de lleno en el mundo del espectáculo. Sin embargo, esta es una buena base para empezar. Puede encontrar material adicional en una tienda de arreos o de material de trabajo, o bien contactar con un entrenador profesional para que le ayude.

Conclusión

Criar caballos no es un trabajo fácil, por lo que mucha gente elige las instalaciones de alojamiento en su lugar. Si usted cría a sus caballos en su propia tierra, tiene que estar listo para comprometerse y hacer el trabajo requerido. Esto incluye la preparación de las instalaciones de alojamiento, la nutrición adecuada, la salud, el aseo y el cuidado diario de su amigo equino.

La crianza de caballos también requiere un profundo conocimiento de la reproducción de caballos, el parto y el destete. Dependiendo de su propósito de criar caballos, debe aprender sobre el entrenamiento de su caballo. Esto incluye el entrenamiento básico de caballos y el entrenamiento avanzado para el atletismo o el espectáculo.

La cría de caballos es un emprendimiento muy beneficioso. Los caballos sirven para muchos propósitos, incluyendo simplemente la compañía humana, ayudándole a hacer el mejor uso de su tiempo libre, y como animales de trabajo en las instalaciones de la granja. La cría de caballos también puede ser beneficiosa para la salud.

También puede criar caballos con fines comerciales o entrenar a su caballo para deportes ecuestres. Independientemente de la razón por la que críe caballos, este libro resume todo lo que necesita saber sobre la cría de caballos sanos y fuertes. Espero que haya aprendido lo suficiente en este libro para ponerle en el camino correcto en su viaje para convertirse en un experto caballerizo.

Vea más libros escritos por Dion Rosser

Printed in the USA
CPSIA information can be obtained
at www.ICGtesting.com
LVHW011026080224
771325LV00004B/9